沢里裕二

極道刑事（クロデカ）

消えた情婦

実業之日本社

目次

第一章　爆弾低気圧

1

歌舞伎町二丁目。

午後一時三十分。

真昼間だというのに土砂降りの雨だ。アスファルトにビー玉のような雨粒が弾けては砕け散り、あたりは噎せかえるような湿気に包まれていた。

「こんな日にやらかしてくれるとは、つくづく面倒くせぇ女だな」

関東舞闘会神野組組長、神野徹也は組事務所の窓を開け、空を睨みながら、噛んでいたガムを吐き棄てた。

白い空に禍々しい黒雲が張り出していた。

「わざわざ組長(おやっさん)が出張(でば)らなくとも、俺とササケンでカタをつけてきますが」

　特攻隊長の内川朝陽(うちかわあさひ)がカーキ色のポンチョに袖を通しながら言う。水をよく弾くポリエステル製だ。

胴部に太いロープを巻き付けていた。尖端(せんたん)にフックのついたロープだ。その背後では、若衆の佐々木健二(ささきけんじ)もすでに準備を整えていた。通称、ササケンだ。

佐々木は黒のゴルフバッグを担いでいる。

　ふたりともスキンヘッドだ。

「いや、店への体裁もある。ここは俺が行かねぇとな」

たいそうなミカジメを取っているのだ。警察が来る前にカタをつけねばなるまい。

「へいっ」

　神野は景気付けに、傍らにあったウォッカのボトルを手に取り、思い切り呷(あお)った。

かっと胸が熱くなる。

「お前らも、気合を入れろや」

　ボトルを渡す。

「へいっ」

「いただきます」

ふたりとも呻った。

神野も黒のパーカーを着た。

三人は豪雨の歌舞伎町に飛び出し、花道通りをひた走った。向かうは区役所通り手前のホスクラビルだ。

ACB会館の前あたりで腹巻に差し込んだスマホが鳴る。情婦の喜多川景子からの着信音だ。

「おうっ、いまシノギの最中だ」

怒鳴るように答える。

「それはすみませんでした。いま厚木インターに入ったところです。海老名でちょいと土産物を買って帰りますよ。夕方前には着くと思います」

景子は、昨夜から妹分の西村玲子が、出身地である熱海でキャバクラを出すことになったので、その開店祝いに駆けつけていたのだ。

店名は『ゴッド・エンバシー』。

神野組の熱海進出の橋頭堡となる店だ。

「おうっ。とっとと戻れ。内川と佐々木が、これからずぶ濡れになる。三十分後に、風呂代わりになる女を、三人まわせ」

景子にはキャバクラの他に、ガールズバーや風俗店も数軒、任せてある。

「三人て、あんたも温まるの？」

尖（とが）った声が聞こえてくる。

「当たり前だろ。俺もずぶ濡れになる。ぎゃあぎゃあいうんじゃねぇよ」

「私の帰りが待てないの？」

今度は拗（す）ねたような声だ。

「うるせえ、極道の情婦（イロ）がしのごのいってんじゃねぇ！　さっさと女を手配しておけやっ」

神野はスマホを切った。

ふたりの手下に、女を抱かせ、自分だけ景子を待っていたのでは、漢（おとこ）が廃（すた）るというものだ。

——馴染（なじ）んだ景子の身体（からだ）が一番いいに決まっている。

だが、それを口に出したら示しがつかなくなる。ちょっと切ない思いに駆られながら神野は走った。

雨脚はさらに強くなり、アスファルトの上で大粒の雨が跳ね返っている。無数のパチンコ玉が勝手に踊っているような光景だ。

「オヤジ、あのビルです」

内川が風林会館のいくつか手前のビルを指さした。スキンヘッドが雨を弾き返している。

神野は、ずぶ濡れになったパーカーのフードを少し押し上げ、そのビルを見上げた。

屋上はホスクラの巨大な看板に隠されていた。

スターホストの顔写真が雨に濡れて、一段と輝いて見える。

『俺の隣で空が泣いている。いまならキミが独占』

空と空席を掛けているようだ。

この看板のホストはおそらく億万長者だ。この頃の歌舞伎町には、億男（おくお）と呼ばれるホストがざらにいる。

ちょっと前までは、女に貢がせるのは極道の専売特許のようなものだったが、いまではホストに、その株をすっかり奪われた形だ。

情けねぇ。

挙句の果てに、その尻拭いをシノギにしているときている。

もっとも、そのケツモチ料が、巨額であるのも事実だ。

「あぁ、いますね。看板の隙間から女が見えます。地雷系のワンピースを着た女」

佐々木が担いでいたゴルフバッグを地面に置きながら、空を指さした。

巨大看板の隙間に、フリルの付いたロリータ系のワンピース姿の女が見えた。ツインテールの頭は、鉄砲雨に打たれてずぶ濡れだ。

「悲劇のヒロインになりきってますね」

佐々木が頭から滝のよう流れている雨をタオルで拭いながら言った。

ホストに入れ込んで、悶着を起こそうという女は、概ね自己愛が強く、承認欲求とやらも強い。

構ってくれないと、大勢の目の前で倒れたり、ビルの上をうろうろしては、自殺願望と見せかけ注目を集めたがる。特にこの界隈で多いのは、贔屓のホストの気を惹きたいがためだ。

緊急通報をしてきたのも、神野組がケツを持っているホストクラブだ。

「雨が、いい舞台効果になっているっすね」

内川も、自意識過剰な当人の気持ちを、そう言った。

「本当に死ぬってのが、どういうことか、きっちり教えてやれよ」

神野は、雨に煙るビルに向かって顎をしゃくった。

「へい！」

内川が先に走った。佐々木がゴルフバッグを背負い直し続く。ビルのエレベーターホールだ。神野は、ガムを噛みながら腕時計を眺めた。

午後一時四十分。

景子のポルシェ718スパイダーは、東名海老名サービスエリアに寄っているところだろう。神奈川にも大雨注意報が出されているようだが、あの女の腕とあのマシンなら雨も風もどうってことはあるまい。土産は小田原名物の蒲鉾だろう。

「ウチ、ササケン、十五分で仕留めろ」

神野は時間を切った。

「うっす」

「きっちりと」

三人そろってエレベーターで最上階にあがる。

「お世話になりますっ」

エレベーターの扉が開くと、整列していた十人ほどのホストが、一斉に頭を下げた。

「お前ら、なに、つっ立ってんだ。ぁあ？　極道に物を頼むときは土下座だろうがっ」

内川が声を張り上げる。ホストに関しては外道扱いだ。

「すいませんっ。お世話をおかけしますっ」

真っ先にオーナーの本宮翔平が、両膝を床につけ、深々と頭を垂れる。すぐに他のホストたちもそれに倣った。

本宮の店は、最上階すべてを占有する大箱ホスクラ『マルタの鷹』だ。午前七時からの二部営業を終えたところで、女が死ぬと言い出したらしい。近頃ホストクラブでは、深夜一時で本営業を終えた後に、朝七時から午後一時までの二部営業に精を出す店が増えた。深夜に来れない客を拾い上げるためだ。

出勤前のOLや夜職の客が、この時間には結構やってくるのだ。

「で、なんで揉めた？」

神野がホストたちを睥睨しながら訊く。

「元から面倒くさい客でしたが、このところ閉店してもなかなか帰らないもので、担当から出禁を言い渡しました。すると死んでやると言い出しまして。ホストに入れ込んでくれるのは、ありがたいんですが、うちらは、疑似恋愛を売っているんで、マジ恋されても困ります。ただ、あのタイプは、自分が死ぬか、ホストを刺殺するかのどっちかなので。神野組長、どうか、攫って行ってください」

本宮は必死に床に頭を擦り付けている。それもそのはずで、先月もこの店の客が飛び降り自殺をしたばかりだからだ。

ホストは本音では、客が自殺でもしてくれたら、武勇伝になるぐらいにしか思っていない。そのぐらいの感覚でないと務まらない稼業であるからだ。

ただし今回は、警察が見せしめにと、なんやかんやとこの店の粗捜しをし、一か月程度の営業停止に追い込む可能性が高いので、本宮も阻止して欲しいのだ。

短期間に二度も同じ店がらみで飛び降りをされたのでは、所轄も多少、対処しなければ、都庁などからの風当たりがきつくなるからだ。

この規模のホスクラになるとひと月の売り上げは軽く一億を超える。女が死ぬのは勝手だが、休業は単月の減収にとどまらず、客が他店に流れてしまう恐れもある。

「本宮、人攫い扱いするな」

内川がまた声を張り上げた。極道は相手の言葉尻を捕まえては難癖をつけるのが稼業だ。

「すみませんっ。なんとか面倒を解決していただければと」

本宮は平謝りだ。

「色恋営業もほどほどにしておけや。担当はどいつだ」

蟹股でしゃがみこんだ佐々木が、本宮を睨みつける。

「自分です。真人といいます」

一列に並んで土下座しているホストのひとりが、顔をあげた。黒髪のふわっとした髪型に、濃いメイクをしているアニメの主人公のような顔。

巨大看板に出ていた男だ。

「億男君かよ」

ササケンがその前に進み、そいつの腹部を蹴り上げた。商売道具の顔はやらない。

「ぐふっ」

真人が腹を抱えて、嘔吐した。

「高けえ酒を飲んでいても、ゲロになっちまうと臭さは同じだな。女の名前は？」

内川が吠え続ける。

「リカです。前原リカ」

真人が吐きながら言った。

「仕事は？」

神野が訊いた。風船ガムを膨らませる。

「去年までは大学生です。二十一歳。いまはソープとパパ活で稼いでいます」

こいつらの巧妙な育成と色恋営業で、ごく普通の女が、ほぼ一年で風俗業へと転職する。

神野は、風俗業の女を否定はしないが、ホストがあえて高額な借金を背負わせて、無理やりその道に追いやったのだとすれば、腸（はらわた）が煮えくり返る。

それはそもそも極道の稼業だ。ホストが合法的に、稼ぎを奪ったわけだ。

「本宮、月末までに五千万だ。いいな」

神野がパーカーのポケットから借用書を出す。フロント企業の『神野金融』から短期融資をうけた体裁をとっている。

「女はマジで飛び降りそうです。通行人が巻き込まれると、よけい厄介になりますので、速やかにお願いします」

本宮は震える手でサインした。

社会問題化すれば、警察の仕置きは、ますますきつくなる。『マルタの鷹』は、繰り返し様々な罪状を突き付けられ、下手をすると廃業に追い込まれるかもしれない。ザル法と言われる風営法だが、警察がその気になって厳格に運用すれば、歓楽街はひとたまりもない。

「心配いらねぇよ。あの手の女は、観客がいねえところでは、飛ばないもんさ」

2

午後一時四十五分。

神野たちは最上階の非常扉をあけ、外階段へと出た。鉄砲雨だ。大粒の雨に、額や頬が痛打され、強い風に身体が攫われそうになる。

屋上に上がった。

フラットなコンクリート床に、雨粒が跳ね返っている。四方は低い金網フェンスで覆われていた。その金網に取り付けられた真人の巨大看板の裏側が見える。アルミ板を鉄骨で囲んでいる看板だった。アルミの裏板は落書きだらけだ。女たちが書いたものだろう。ホストの名前だらけだ。

屋上を囲むように巨大看板が取り付けられているのは、自殺防止のためでもある。もうひとつの理由は、やり場にするためだ。

ここで挿入された女も大勢いるに違いない。

ずぶ濡れの女が、看板の裏側をうろうろしていた。フリルの付いたワンピースがすっかり体に張り付き、下着の色まで透けている。上下ともワインレッドの下着だ。

「いやっ、来ないでっ。もう生きているのが辛いのよ」

リカが大声を上げた。

だがその眼が異様に輝いている。ようやく誰かに気づいてもらえて、喜んでいるのだ。

神野は、この手の自己愛過多の女が、嫌いだ。景子に調教させたい。

「さっさと落ちろや」

内川が、胴に巻いたロープの尖端の鉤型フックを持ちながら叫んだ。

「いいわよ。飛び降りるから！」

リカが花道通りに面したフェンスの縁に手をかけた。看板の脇にある僅かな隙間だ。飛ぶとしたらそこしかないが、女はなかなか乗り越えようとしない。隙間が狭いのだ。

「まじ、面倒くせぇ」

ゴルフバッグを担いだ佐々木が怒鳴りながら近づいた。

「来ないでっ」

「うるせぇ。誰が助けるか」

佐々木がゴルフバッグのファスナーを開ける。大型ハンマーを取り出した。

「いやぁあああああ。殴らないでっ。真人、私を助けてよぉ」

飛び降りるはずの女が、巨大ハンマーで叩かれると思ってか絶叫した。

佐々木は構わずリカに接近し、巨大ハンマーを振り下ろした。真人の看板の枠組みである鉄パイプの一本が、大きく歪む。

飛び降りる間口が少し広がった。

「その真人が、もうお前なんか面倒くせぇから、さっさと事故死に見せかけて、殺っちまってくれって、頼んできたんだよ。ほら、これなら、飛び降りる隙間が出来たろ。泣いてねぇで、さっさと飛べや」

「嘘よ、真人がそんなことを言うはずないわ。私たちは結婚するのよ。近々、真人は店を辞めて、私とホノルルで式をあげるっていってくれたもの。私、挙式資金、一千万円作って渡したんだから」

神野はずぶ濡れになりながら、その様子をじっと見ていた。

ホストは色恋営業の終着点であるプロポーズをしたらしい。『営業プロポーズ』は、金を引く最終手段である。やつらは金を受け取ったら時間をかけて遠ざかっていく。

それがやつらのビジネスだ。

女もうすうすは気が付いていながらも、夢に縋り続けるわけだ。そうするとホストにとっては、ただのうざい客になる。憐れなものだ。

神野は雨を弾いているパーカーの袖を捲り、腕時計を見た。

午後一時五十分。

「おいっ、ペースが遅せぇぞ」

額にかかる雨粒を手の甲で拭いながら吠えた。

内川と佐々木の動きが素早くなる。

内川が金網フェンスに等間隔で立っている鉄のポールに、ロープの鉤型フックを引っ掛けた。

そのまま身体を回転させながらロープを一メートルほど解く。

佐々木は、大型ハンマーをゴルフバッグに戻し、同じ大きさの斧を取り出した。

今度は斧を看板の枠ではなく、板そのものに打ち込んだ。鈍い音と共に、アルミ板に亀裂が走る。立て続けに打っている。

一分とかからず、一メートル四方の穴が開く。表から見上げると、真人の心臓のあたりがぱっくりと開いた感じだ。

「兄さん、いける感じっすか」

破片はきちんと内側に落としている。

「充分だ」

内川は答えると同時に、足がすくんで動けずにいるリカに抱きついた。

「いやぁあああああ。真人、助けに来てよ。また一千万円ぐらいなら店に入れるよ。それにもう同担にボトル投げたりしないからっ」

腕を振り回しながら喚いている。これがこの女の本性だ。自死する気などさらさらない。傷ついている自分に快感をおぼえるタイプだ。

雨と涙で化粧が完全にはげ落ちて、童顔が現れている。彼女が泣きじゃくりながら言っている同担とは、指名が重なっている他の女客のことだ。

キャバクラに通う男以上に、担当に嫉妬するのがホス狂いの女たちだ。貢いでいる額が一桁違う。こいつらは文字通り身を削ってホストに貢いでいるのだから、当然と言えば当然だ。

「そのセリフ、もう聞き飽きたらしいぜ。うざいんだとよ」

内川はリカを徹底して罵倒している。抱きついたまま、スカートを捲り上げた。

メルヘンなデザインのワンピースの割には、パンティはセクシーだ。ワインレッドの極小パンティだ。内川はその脇を捲り、女の膣穴に人差し指を深く突っ込んだ。

「やめて、やめて、やめてっ。このビルでは絶対にやらせないっ」

「誰が、おまえとやるか」

内川はリカの膣に指を引っ掛けたまま、看板に開いた穴へ向かう。リカの顔が苦悶に歪んでいる。

「通行人に当たらないように、俺が上手くコントロールして落としてやる」

神野は再び腕時計を見た。

午後一時五十三分。

「ウチ、遅せぇぞ。後藤は二分前に事務所を出ているぞ」

豪雨の音に掻き消されないように神野は大声を張り上げた。

「へいっ」

内川がリカを抱いたまま飛んだ。頭からの落下だ。膣に入れた指は、落とさないためのフックの役目をしている。

リカの悲鳴が、豪雨の中に溶けていく。

佐々木が鉄柱に掛けたロープのフックが外れないよう両手で押さえていた。神野は歩み寄った。

下を覗く。

ロープに巻かれた内川は地上二メートルの位置で止まっている。横殴りの風に揺れていた。こんな日でも、花道通りには、昼キャバや二部ホスクラに出向く客や、午後番の出勤を急ぐ風俗嬢たちが往来しているが、特に驚いた様子はない。

歌舞伎町では、空から人が降ってくることがそれほど珍しくないからだ。

そこに、軽トラが一台走行してくる。荷台にはマットレスだ。運転席にいるのは、今日の当番の後藤だ。ダボシャツに腹巻でステアリングを握っている。

内川が屋上のほうに向かって、顎をしゃくった。

佐々木が頷き、軽トラが真下に来たところで、斧を振った。鉄柱に引っ掛かっていたフックの先でロープが見事に切れた。

マットの上にふたつ肉体が落下する。

内川が、膣から人差し指を抜き、雨空に向かって突き立てた。佐々木が答えるように、親指を立てる。リカは気絶しているようだった。

神野は腕時計を覗いた。

午後一時五十五分。

「佐々木、俺の好きな言葉を知っているな?」

神野は外階段に歩き出しながら言った。

「はい。『予定通り』ですね」

「そうだ。なにごとも予定通りがいい」

佐々木が付いてくる。

最上階の廊下に降りた。

「ありがとうございます。これは洗濯代です」

本宮がぶ厚い封筒とバスタオルを差し出してきた。封筒には三百万は入っていそうだ。歌舞伎町では金で買えないものはない。

「あの女は、こっちが引き取る。それでいいな」

同時に差し出されたバスタオルで顔を拭いながら伝える。他のホストは土下座したままだ。

「もちろんです。今後とも何卒(なにとぞ)、よろしくお願いいたします」

本宮も再び、床に両手を付き、頭を垂れた。

金にはなったが、どうもすっきりしないシノギだ。

「ふんっ。ホストはいけすかねぇよ」

神野は、背を向けた。

3

午後二時五分。

組事務所に戻り、すぐ湯に入った。神野組の事務所は歌舞伎町二丁目にある洋館風のラブホテルだ。

昔と違い、組看板や代紋入りの提灯(ちょうちん)をあげることは許されない。ラブホ街に、その存在を知られないように、ひっそりと組を構えているのだ。

築五十年になるが堅牢(けんろう)な建物だ。ラブホが組事務所に向いているのは、もともと窓がないことである。つまり要塞としても使えるのだ。壁が防音であるのも監禁や拷問に最適だ。

そしてなによりバスルームが立派である。

「舐(な)めます」

対面して湯に入っている美穂(みほ)という女が、神野の皺玉(しわだま)をあやしながら、そこだけ湯の上に出ている肉の尖端に唇を寄せてきた。景子が手配した女だ。二時きっかりにやって来た。

三十手前。ふくよかな体つきで、肌もしっとりしている。

景子はわざと自分に似た女を寄こしたようだ。いじらしい。

「おうっ」

神野は天井を向いて、眼を閉じた。

一仕事終えた後は、必ず湯に浸かり、抜くことにしている。セックスは頭の切り替えになる。

美穂が首を折り、唇を窄めて亀頭冠全体に吸い付いてくる。背骨まで蕩けるような快美感に襲われる。

吸いつきながら、裏筋を懇切丁寧に舐めあげ、握った棹をゆっくり扱きたてる。舌の動きは早く、手はゆっくりだ。

景子と同じやり方だ。

「景子に俺の攻め方を教わったのか」

神野は背筋を張りながら訊いた。

「はい。メールで指示を受けました。大仕事をした組長が、心底満足するように、しっかり務めるようにと」

美穂は言いながら、湯に顎をつけ、神野の乳首に舌を這わせてくる。棹は扱いたままだ。

「んむっ」

斜めから美穂が半身を寄せてくるので、量感たっぷりな乳房が腹の上辺りに押し付けられた。

景子もこうやって押し付けてくる。

「組長、乱暴にしても構いませんよ」

美穂がさらに身体を押し付け、湯の中で脚を絡みつかせてきた。荒れているときの神野のことも話してあるらしい。

怒り狂ったときは、景子を四つん這いにさせ、遮二無二背後から突きまくり、一気に精を抜いて、怒りを鎮めるのだ。

「いまは平気だ。あんたに任せる」

「わかりました」

美穂は、乳首を交互にしゃぶり、棹を扱きたてた。ソープをたっぷりつけた泡だらけの手のひらで、亀頭を包み込むように撫でまわす。

乳首の舐め方は、まさに景子そのものだ。ぶ厚い唇を吸盤のようにして乳暈(にゅううん)をぴっちり吸い上げ、伸ばした舌先で、乳首を猛烈に舐めてくる。肉棒は痛いほどに膨張し、神野は思わず背筋を反らせた。

たちまち射精感がこみあげてきたが、足を突っ張り、歯を食いしばった。景子が相手ならば、口淫だろうが、手淫だろうが、まずは一回射精するところであるが、他の女となると、どうしてもメンツに拘り、持続力を見せたいと思ってしまう。

やはり神野が、完全に無防備になれるのは、景子しかいないのだ。

乳首舐めと手扱きのアンサンブルで追い詰められながらも、右腕を伸ばし、美穂の茂みに触れた。湯の中の陰毛は海藻のような感触だ。

逆撫でしていくと、茂みの奥からチラリと女の会陰が覗けた。陰毛を逆撫でしているので、大陰唇が少し引き攣れて、女の紅い真珠玉がはみ出ていた。

景子よりも大きい。

自慰好きか、はたまたローター使用を求める客が多いのか。

人差し指で紅い尖りを突いてやる。

「んんっ」

バスタブの中で、美穂が大きく腰を揺らし、舐めていた乳首に熱い息を吐く。

景子とは異なる反応だ。

神野は、さらに親指も這わせ、美穂の肉豆を弄り回した。

美穂の顔がくしゃくしゃになる。不意を突かれた娼婦が、仕事を忘れて喘いでいる顔だ。これは男冥利というものだ。

淫気に火のついた神野は上半身を起こし、美穂を後ろ抱きにした。肉付きのよい巨尻が、股の上に乗る。

「あっ、いいですか。私、重いですよ」

「軽い女は嫌いでな。そのまま挿れてくれないか」

「はいっ……あ～んっ」

美穂が、後ろ手に肉棹の根元を握り、女陰との角度をあわせた。さらさらの湯の中で、その部分からだけ、ねっとりとしたとろ蜜が溢れ出ている。

窪みに怒張した肉の尖端があてがわれたところで、神野は腰を跳ね上げた。ずるりと肉筒に鰓までを潜り込ませたところで、いったん止める。

「組長の亀頭、入りました……」

美穂が肉層を締めてくる。もっと奥へ突っ込んで欲しいと、せがむような小刻みな締め付けだ。

景子なら待たずに、自分からストンと尻を落としてくるところだ。遠慮があるところがいじらしい。

だが、やっぱりこの棹に相性が合うのは、景子の方だな。

そんなふうなことを思いながら、神野はむんずと摑んだままの美穂のヒップを、太腿に当たるまで、一気に引き下ろした。肉の尖端が子宮口にほぼ垂直に食い込んだ。

「はうっ」

美穂が前かがみになり、両手でバスタブの縁をしっかりと摑んだ。

神野は太腿を硬直させながら、下から力強いストロークを見舞ってやる。肉壺がどんどん窄まった。バストを握る手のひらの中でツンとそそり勃っていた乳豆が、さらに硬直した。

「抱き心地のいい身体だ」

「あっ、あんっ、気持ちよすぎます。困ります。姐さんに叱られます」

美穂が顎を突き上げ、盛んに首を振る。

「いや、おまえさんがよくなると、壺が波打って、こっちも気持ちがよくなるというものだ」

世辞を言いながら、膣肉を抉るように攻め立てる。

一突きするごとに、穴の奥から煮えたぎった液が溢れ出してきた。湯の中で、肉棹だけがさらに別な湯に入っているような感覚だ。

神野は陶然となった。

ストロークをいったん止め、今度は棹を垂直に突っ込んだまま、右手を前に回し、肉玉をいじくってやる。

「んんんっ、組長っ」

美穂の声が一段と上擦った。確実に頂点へと向かっている様子だ。

「昇ったらいい」

「私が先に昇ったりなどしたら、景子姐さんに殺されてしまいます」

「景子がそんなことを言っているのか」

「はいっ。きっちり二度射精させて、すぐに帰るようにと。んんんっ」

美穂が前を向いたまま、荒い息を吐いた。

「そんな命令を聞くことはない。俺は、女を先に昇らせないと、エンジンがかからないんだ」

女芽を撫でながら、突きも混ぜてやる。

「あうっ、姐さんっ、私もうだめですっ」

「四の五の言ってねぇで、昇きやがれっ」

神野は怒鳴り、肥大化し女芽を親指と人差し指ですりつぶしてやった。

「あぁあああああああああっ」

美穂が絶叫した。

肉壺が一気に狭まり、棹が食い絞められる。刹那、神野も感極まった。亀頭に溜まっていた淫汁を、盛大に噴き上げる。

「おうっ」

子宮と精汁が激突する。

脳内に、景子の顔が浮かんだ。絶頂のときの顔だ。

日頃は勝気でいかにも鉄火な女だが、イク瞬間だけは、やけに穏やかで菩薩のようになるのだ。

──あの顔に惚れている。

どくどくと精汁を噴き上げながら、極道としての気合が抜けていくのを感じた。

情婦に入れ上げたのでは、漢としての先が見えている。

そろそろ内川を若頭に引き上げておいた方がいいのかもしれない。

出し終わり、神野はそんなことを思った。

互いに三分ほどバスタブの中で、ぐったりとしていたが、美穂がふと我に返ったように、立ち上がった。

「もう一発は私が、きちんと奉仕します」

バスルームのドアを開け、タオルを持って、神野が上がるのを待っている。

「おうっ」

神野は、両手で顔をはたき、寝室へと向かった。

4

午後四時すぎ。

神野は眠りから目覚めた。

第二ラウンドは壮絶であった。プロの娼婦の意地を見せるかのような美穂の全身リップと指技に圧倒され、一時間ほどの間に二度射精させられた。バスルームと合わせると三射(さんしゃ)だ。

シノギの緊張と欲情の煩悩から解き放たれ、そのまま泥のように眠ったようだ。おかげで頭がすっきりした。

美穂の姿はすでになかった。ベッドの周りに微かに香水の匂いが残っている。景子と同じ匂いのものだ。

――まったく景子も嫉妬深い情婦だ。

だが悪い気はしない。

バスルームでシャワーを浴び、ジャージを着て、一階へと降りる。詰所のほうから麻雀牌を打つ音が聞こえてきた。遊んでいるのではない。八百長の特訓だ。

「当番、ビールを持ってこいっ」

組長室の扉を開けながら怒鳴ってやる。

「へいっ。すぐに」

部屋に入り、応接セットのソファにどっかり腰を下ろす。

ビールを待ちながらテレビをつけた。壁に掛けた大型画面のテレビだ。

民放の夕方のワイドショーが流れてくる。

市民団体の代表を名乗る女性コメンテーターが、LGBT理解増進法案の欠点について、早口でまくし立てていた。声が大きいわりには、内容に目新しさのないコメントだった。

ネットニュースのまとめサイトのような論評だ。

近頃テレビ界では、見栄えのする、ただ有名になりたいだけの女を、上手くコメンテーターに仕立てて、番組の意図するところを伝えさせる手法が大流行りだ。芸能プロによるスカウトも多いそうだ。

コメンテーターというタレントである。

これはシノギになるかもしれないと、神野は考えた。

歌舞伎町をうろつく、ちょっと見栄えのいい女ライターを風俗評論家に仕立てて、マスコミに売り込めないものか。

名が売れたらトークショーなどの興行が打てる。

極道と風俗と興行は親和性が高いのだ。

当番の若い衆が、サーバーから注いだ生ビールと小皿に盛ったバターピーナッツを盆に載せて運んできた。

「景子は？」

「へぇ、姐さんはまだです。食事、なにか取りますか？」

ダボシャツから錦鯉の彫り物を覗かせた若い衆が訊いてきた。

「いや、いい。あいつが戻ったら、焼肉に行く。六時過ぎに『焼肉強食』を予約しておいてくれ」

『焼肉強食』はゴジラ通りにある馴染みの店だ。週に二度は景子や若い衆を連れて行っている。

「へい」

と若い衆がさがったところで、テレビの画面がスタジオのキャスターに切り替わる。

元バドミントン選手だった女性キャスターが、深刻な顔をしていた。

『先ほどお伝えしました東名高速道路の爆発事故現場の続報です。現地の映像が入ったようです』

――爆発？

ただならぬ言葉に、神野は息を飲み、画面を凝視した。

いきなり雨に煙る東名高速道路の様子が映し出された。

ヘリによる空撮のようだ。

三車線を塞ぐように横転している大型タンクローリーから、巨大なオレンジ色の炎と黒煙が吹きあがっている。車体に『メーガン石油』とあった。

ガソリンを満載にしていたようだ。

――そりゃ爆発する。

テレビ局のヘリが旋回し、事故現場の全体像を映し出す。

上り方面の先頭で大型コンテナを積んだトラックが中央分離帯を突き破り、反対車線にフロントを出していた。その背後に多くの車を積んだ車載トレーラーが激突したようで、トレーラーの運転席は、大破している。挙句に積んでいた車が、高速道路上に散乱していた。

そこから炎上するタンクローリーまでの間に、数十台の車が止まっている。玉突き衝突にあったようで、車は様々な角度に向きを変えて停車していた。中には完全にひっくり返り、車輪を空に向けている車もある。

こいつは大事（おおごと）だ。

テレビ画面に、いくつものヘリが飛んでくる様子も見えた。消火用のヘリのようだ。

高速上でも、すでに二台の消防車が消火活動をしていたが、燃え上がる火の手は、とても収めようがない。

タンクローリーの前後にいる車も数台、すでに炎上している。

飛び散ったガソリンが、他の車の下に流れ込み、何かのはずみで引火したのだろう。神野はそう推測した。暴走族時代、抗争中によくそういった光景を見ていたからだ。

交通事故現場というより、戦場のような映像だった。

アナウンスが重なった。男性アナウンサーの声だ。

『本日午後三時頃、東名高速道路上り線、横浜青葉インター付近で、大型トラックがスリップして横転したことから約三十台の車が玉突き衝突する事故が発生した模様です。現在ガソリン搬送用のタンクローリーが炎上中で、横浜市消防局が消火活動にあたっているとのことです。このため現在東名高速道路は上下線ともに、東京ー横浜町田間で通行止めとなっております。ガソリンは約一キロにわたって流れている模様で予断を許しません。現場付近には絶対近づかないようにお願いします』

神野の頬が自然に引き攣った。

『午後三時頃』『上り線』『横浜青葉インター付近』というキーワードが、ストレートパンチを食らったときのように、頭蓋を揺さぶった。

景子のポルシェがちょうどそのあたりを通過していても不思議はないのだ。

すぐにソファテーブルの上に放り投げてあったスマホを取り上げ、着信履歴を確認する。

Kと略された景子からの着信履歴がある。午後二時五十七分。ちょうど神野が最後の射精を終えて、寝落ちした頃だ。もとよりスマホは組長室に置きっぱなしであったのだが。

留守録があった。

『あんた、まいったわ。凄(すご)い渋滞。かなり遅れるわ』

「ちっ」

舌打ちし、コールバックした。

呼び出し音も鳴らずに、景子のスマホは、いきなり電波の届かない位置にいるとのアナウンスが流れ、伝言をどうぞに切り替わる。

「おいっ、いまどこを走っている。焼肉を予約した。とっとと連絡しろ」

いつものようにぶっきらぼうな伝言を残す。

スマホが衝突でぶっ壊れたのかもしれなかった。

テレビを凝視し、赤のポルシェ７１８スパイダーを探したが見つからず、画面は、神奈川県庁の前に立つ、黒縁眼鏡の男性レポーターに切り替わってしまった。

『ただいま横浜市消防局が火災防災用ヘリを出動させ、空からの消火活動に当たっているとのことです。東京消防庁、自衛隊などからも支援ヘリがむかっているとのことですが、現場は非常に危険な状態です。一般車両は東名高速道路には近づかないよう、県警は呼びかけています。以上、神奈川県庁前からでした」

再び、スタジオの女性キャスターに切り替わる。

『横浜市消防局からの要請で、報道機関のヘリにも現場付近には接近しないように要請がありました。人命救助の観点から、日東（にっとう）テレビもこの要請を受け、撮影を中止いたします』

女性キャスターが、沈痛な面持ちでそう伝え、ＣＭとなった。陽気なＢＧＭと共にスナック菓子のＣＭが流れてきた。

神野は気持ちを押さえるように、バターピーナッツを一気に十粒ほど頬張った。

イライラとしながら噛み砕く。

意識は次第に悪い沼に嵌（は）まっていく。

ポルシェも爆発してしまうのか。いやすでに衝突に巻き込まれ、景子は落命しているのかもしれない。

リモコンを手に取りザッピングした。

どの局もＣＭで、ＮＨＫは国会中継だった。

考えてみればテロが起こったわけでも、巨大自然災害でもなかった。規模は大きいが交通事故だ。中継を延々続けるものでもない。

神野は総長の黒井健人に電話をしようかと思ったが、やめた。テレビで現状を見る限り、警察でも、まだ何もわからないはずだ。

待つしかなかった。

景子と知り合ったのは、総長の黒井から歌舞伎町を縄張りとして任され、この町で極道としての名を売るために、喧嘩に明け暮れていた頃だ。

喧嘩の相手は、主に半グレ集団と外国系マフィアだった。

二〇一一年の暴排条例施行以来、極道は表立った威嚇行為が出来なくなり、次第に半グレ集団や外国系マフィアが歌舞伎町のビルや風俗業を乗っ取り始めた。

悪を潰せるのは悪でしかない。

関東舞闘会は、極道の蓑を被った警察庁の傭兵部隊として、新興勢力と闘わねばならなかったわけだ。

歌舞伎町一丁目のキャバクラ『シスターギャング』の経営権が突如、上海マフィアの手に落ち、キャバ嬢が中国女に総入れ替えになると聞いた。

神野はヤバいと思った。

店の買収は正当な経済行為だが、そこに大量の不法入国者や工作員が送り込まれてくるのが目に見えていた。

北京の情報機関と福建マフィアが組む『ゴールデンチャイナ工作』だった。

観光客として入国させた女工作員たちが、名を変えて歌舞伎町で働き、諜報活動を展開するというものだ。彼女らの狙いは都庁勤務の公務員や西新宿に本店を置く大企業のサラリーマン。彼らに接近し、枕営業で政財界の情報を聞き出すわけだ。

仕上げはそうした日本人男性と結婚させ、この国に根を張る。いかにも中国共産党らしい戦略ではないか。

いつかこの国を乗っ取る。その橋頭堡に歌舞伎町を狙っているのだ。

この芽は早期に摘んでおく必要があった。警察庁公安局から黒井健人の闇捜査に指示が降り、実行部隊を神野組が受けた。

神野はただちに『シスターギャング』の新経営者の事務所を襲撃した。

極道の襲撃に捜査令状は要らない。

十人の部下と共に明け方乗り込み、マフィアたちを半殺しにし、事務所内にあった偽造パスポートや潜入工作員のリスト、闇帳簿などを押収し、警視庁に渡した。

その時、事務所の倉庫にふたりの女が囚われていた。

『シスターギャング』のキャバ嬢、喜多川景子と西村玲子だ。

不法入国させた中国女の代わりに、出国させられる要員として拉致監禁されていたのだ。

日本の出入国在留管理庁に対し、観光客として入国した女の出国記録が必要だからだ。身代わりに出国させるというわけだ。

どこの国でも、入国に比べて出国は甘いものだ。パスポートの顔写真を入れ替えて、団体客として送り出すのは、北京の工作機関にとって、たいして難しいことではない。

この場合、ほとんどはクルーズ船が利用される。千人単位の中国人観光客を一気に出入りさせるので隠しやすい。

ふたりとも身寄りがないのが狙われた理由だった。消えても捜索令状が出されない人物ほど、拉致の格好の標的となる。クスリ漬けにされ、上海で稼げると洗脳されていた。

神野はふたりを救出し薬物療養所に収容した。おもに囮(おとり)捜査で、麻薬シンジケートに潜入していた捜査員が、ヤク抜きのために入る、警察の極秘療養所だ。

半年にわたる治療の末、ふたりは無事覚せい剤中毒から回復した。だが強制的に打たれていたとはいえ、再びその刺激に目覚めないとは限らない。

とくに歌舞伎町では容易く手に入るのだ。

神野は自ら進んで、ふたりを保護観察する役を担った。神野組が手に入れた『シスターギャング』の運営を任せ、情婦にすることによって、ふたりを手元に置くことにしたのだ。『シスターギャング』はガールズバー、デリヘルへと手を広げ、現在は神野組の大きな収益源になっている。

景子が玲子を妹分と呼ぶのは、先に神野と身体を交わしたのが景子の方だったからだ。当然、玲子ともやった。世話した女と、必ずやるのが極道というものだ。そういう意味では玲子も情婦である。

景子には風俗店を営ませ、それを手伝っていた玲子には、熱海にキャバクラを開店させた。つまり分家だ。

極道の組とは疑似家族である。

世間一般の道からはぐれた者たちが、仁義という絆のもとに集まり、オヤジを中心に、オジキ、アニキ、姐さん、子分、という『一家』を構成する。

してみれば景子は、神野の妻に等しい。

神野はテレビを眺めながら葉巻を手にした。マニラ産のタバカレラ・コロナだ。

ハバナ産よりも気に入っている。

──まいったぜ。

事実上の妻が、大事故に巻き込まれたようなのだが、動きようがない。じれったい気分だ。葉巻の煙をくゆらせた。

案外、そのうち、帰ってくるのでは、とも思う。

だが、それから二時間を経ても、景子は帰ってくるどころか、電話もしてこなかった。

──おかしい。

暗澹たる思いで、ビールを飲み続けた。

慌てふためく姿など、子分たちには見せられない。この期に及んでも、極道は漢でなければならないのだ。

午後六時。

テレビが再び東名高速道路の事故を伝え始めた。

『本日、午後三時頃に起こった東名高速道路、横浜青葉インター付近の玉突き衝突事故で、タンクローリーの炎上から、連鎖火災が発生しましたが、午後五時三分過ぎ、無事鎮火しました。ただいま、現場で救助活動がなされておりますが、負傷者の数は確認されておりません。現場は混乱しており、通行止めの解除の見込みも立っておりません。東名高速道路は現在、東京料金所ー横浜町田間が、上下線ともに通行止めになっております』

男性アナウンサーの声と共に、現場の空撮映像が映し出された。

とうに日が暮れている。

約一キロに亘る事故現場が、いくつものサーチライトに照らされていた。遠目にもタンクローリーが黒焦げになっているのが分かった。

そのタンクローリーの数台手前に、ポルシェ718スパイダーらしき車両が見えた。ポルシェは燃えていない。原形をとどめている。

その一台前の車両は黒焦げになっていた。

危機一髪で、景子は助かったのか。

神野は、さらに目を凝らしたが、残念なことにカメラはすぐにポルシェから離れていった。

スマホを取って、もう一度、景子にコールした。

やはり電話は呼び出し音すら鳴らなかった。急ブレーキの衝撃で、破損したということか。

「組長、内川です」

扉がノックされた。

「おうっ、入れ」

「いまニュースを見ました。姐さんが事故に巻き込まれたのでは」

「そうみてぇだな」

内川は血相をかえていたが、神野は落ちつきはらった声を上げた。

「自分が、情報を集めてきましょうか」

「まぁいいさ。いま景子のポルシェが一瞬だが映った。どうってことねぇよ。生きているんだろうが、あの現場では身動き出来ねぇだろうよ。一車線でも、通行できるようになりゃ、戻って来るさ」

「連絡は？」

「スマホが壊れたようだ」

スマホを指差しながら、薄ら笑いを浮かべる。Kの文字が浮かんだままだ。

「自分、やっぱ青葉中央署の交通課に行ってきます。神奈川県警の交通機動隊には、通じてんのがいますので」

関東舞闘会は新横浜の暴走族が始まりだ。当時は県警の白バイ隊にずいぶん追いかけまくられたが、横浜でしっかり本職になってからは、与党極道として、警察とも連携している。

　内川はそのルートを生かそうとしているのだ。

「なら、そうしてくれ。ただ、所詮、身内のことだ。県警の旦那方にはあまり迷惑をかけねぇようにな」

「へい」

　内川が駆け出していった。

　テレビのニュースは続いている。アナウンサーが続報を伝え始めた。

『ただいま入った情報によりますとタンクローリーの運転手、高野久雄（たかのひさお）さんの死亡が確認されました。『メーガン石油』によりますと、高野さんは五十二歳のベテランドライバーで、静岡県内の製油所から都内に向けて走行中に事故に遭ったようです。

　また、タンクローリー付近を走行中だったハイヤーに乗車していた『北急物産』常務の奥平修二（おくだいらしゅうじ）さんと『日本商業銀行』副頭取の峰岸和幸（みねぎしかずゆき）さんの二名が連鎖爆発により重傷を負い、ただいまドクターヘリで最寄りの病院に運ばれた様子です」

　知名度のある人物ほど素性はすぐに割れるものだ。

神野は見知らぬ財界人の名前と顔写真を見ながら笑った。

――ヤクザの情婦じゃ報道もされねぇ。

そのまま葉巻の煙を払いながら、テレビを眺めていると、赤色灯を振る警察官と、クレーン車が映った。いよいよ現場の整理が始まるようだ。

景子は無事でも警察の事情聴取に足止めされるだろう。スマホが壊れていると電話連絡もままならない。

やはり内川が行ってくれるのはありがたい。

神野は立ち上がった。廊下に出て、大声を上げた。

「佐々木（ササケン）、当番以外の若い者を連れてこい。全員で焼肉だ！」

「へいっ」

詰所からどやどやと若い者が出てきた。十人はいる。

こんな時は、景気づけに派手に飲み食いでもしたほうが、気が楽というものだ。

第二章　疑惑の激突

1

夜になって状況は大きく変わった。

焼肉店から戻り、組長室のソファでウイスキーを飲んでいると、スマホが鳴った。内川からだ。

「組長(おやっさん)、ちょっとおかしなことになっています」

「どういうことだ?」

神野は起き上がり、頭を何度か振った。焼肉店からずっと飲み続けている。おかげで、目の焦点が簡単に合わない。

景子からまったく連絡がなかったからだ。内川は一時間ごとに連絡を寄こしたが、景子の消息は判明しないという伝言ばかりだった。

午後十時の報道番組を見ると、『東名高速道路のタンクローリー炎上事故による閉鎖は解除されました』と短く伝えられた。現在の現場の状況などの詳細はない。事故現場が復旧したので、それ以上の報道価値はないと判断されたのだろう。

なおさら景子のことが気になり、ウイスキーを呷った。胸やけがし、腹に悪性のガスが溜まっているような気分だ。

「交通機動隊の知り合いが、ようやく現場から戻ってきた交通課の巡査を捕まえてくれましてね。話を聞くことが出来ました」

「もったいつけずに、さっさと言えや」

言葉を吐くと同時に頭痛がしてきた。

「はいっ。姐さんのポルシェは無傷で、すでにレッカーで東京料金所の高速道路交通警察隊本部のパーキングエリアに移動されているんですが、姐さんの姿はどこにもないと。遺体や怪我人の中にも、ポルシェのドライバーはいないそうです」

「なんだとぉ?」

と声を荒げたものの、あいつならありえると思った。とっとと歩いて、どこかから地上に降りたのかもしれなかった。通行止めであれば、歩いて出口に向かうことも可能だ。

酔いが一気に醒めて、目の焦点が合ってきた。

内川が続けた。

「姐さんの行方を捜すために、いま交通機動隊のひとりに金を握らせて、高速道路の監視カメラを調べてもらおうとしています。ただ少し手間取りそうです」

警察は事故処理でごった返している最中だ。捜査でもないのにNシステムや周辺の防犯カメラを当たってもらうことなど、即座には無理だ。

「いや、そっちは俺が別に手を回す。お前いまどこにいる?」

「青葉中央署の前です」

「わかった。東京料金所にまわれ。ポルシェの回収だ。いまから俺も行く」

神野は電話を切って、佐々木を呼んだ。

「おいっ、飲んでねぇ奴にアルファードを出させろ。それと景子のポルシェのスペアキーだ。おめえも支度しろ」

「はいっ」

佐々木の指示に組員たちが機敏に動く。

地下駐車場から装甲車並みの防弾装置を備えた黒のアルファードが吠えるように、

飛び出した。

雨は上がっていた。

山手通りの初台から首都高に上がったところで黒井に電話を入れた。さすがに黒井の手を借りることにする。

「総長、すみません。うちの景子が東名で事故に巻きこまれまして」

神野は手短に事情を話した。

「わかった。小野(おの)さんから捜査支援分析センターに依頼してもらう。わかり次第、連絡を入れる。まぁ、景子ちゃんのことだ、歩いて高速を降りて、どこかのホテルでひと眠りしているんじゃないのか。東名東京料金所の高速道路交通警察隊本部にも、小野さんから一報入れさせる。堂々とその名前を伝えろ」

黒井の口調は穏やかだ。神野を安心させようとしているのは間違いない。

「身内のことで。すみません」

「身内をなんとかしねぇで、極道が務まるかよ。小野さんも、きっちりやってくれるさ」

黒井が言う小野とは、警察庁刑事局組織犯罪対策部部長、小野順久(よりひさ)のことだ。警察の傭兵(ようへい)部隊となった関東舞闘会の本庁の責任者だ。

一時期、関東舞闘会は内閣情報調査室の次長、菅沼孝明のもとで主に諜報活動をしていたが、菅沼が首相補佐官に転出したことから、黒井の現所属である組織犯罪対策部に復帰している。

つまりマルボウが管轄している別動隊が関東舞闘会なわけだ。国家が極道を傭兵に使うのは、江戸時代以来の伝統でもある。町奉行所は、たいてい俠客に十手を預けていたものだ。

法で裁き切れない悪党は、闇で処理するしかあるまい。国のためだ。

アルファードは、池尻大橋ジャンクションから首都高三号渋谷線に入った。下り車線だ。

用賀出口を過ぎ多摩川を越えると、じきに東名高速道路の東京料金所が見えてくる。料金ゲートを通過したところで、運転していた若い者が、アルファードを左端の少し広くなっているスペースに停車させる。

神野はすぐに反対車線を見やった。

上り線の料金ゲート手前も広がっている。

トラックが数台待機していた。午前零時過ぎの割引料金の適用待ちだ。バイクに跨った内川の姿も見えた。

指で上り車線の左側奥に広がるパーキングエリアをさしている。

その向こう側にビルがあった。神奈川県警高速道路交通警察隊本部が入っているビルだ。名前こそ『東京料金所』だが、ここは神奈川県川崎市なのだ。

「あそこですね。川崎で一度降りて、上りに回ります」

ステアリングを握る若衆が言い、アルファードを再び本線に戻した。川崎インターでいったん一般道路に降り、Uターンをして料金所に入り直した。

再び東京料金所の手前まで戻り、県警高速道路交通警察隊本部の入るビルの前のパーキングエリアに滑り込む。

奥の方に赤いポルシェ718スパイダーが駐まっているのが見えた。

闇にひっそりと横たわる女豹のようなボディは、そのまま景子の身体を思わせる。

いまは主を失い、静かに眠っているようだった。

神野と佐々木は、車を降りた。夜気は湿っていた。

内川と合流する。

「警察庁の小野部長の名前を出せや。総長が通してくれている。それで面倒くせぇ問答は回避できる」

神野はビルのエントランスにむかって顎をしゃくった。高速道路交通警察隊本部の他にもNEXCO中日本の管制センターも入っているビルだ。意外と知られていないが、ここには見学コースもある。

「わかりました。ナシをつけてきます」

内川と佐々木がビルのほうへと駆けていく。

神野はポルシェへと歩いた。闇の奥に悠然と駐車しているポルシェが赤いスーツを着たままベッドに寝そべっている景子と重なった。

それにしても気になるのは、まったく連絡がないことだ。

衝突でスマホが破壊され、連絡したい相手の電話番号がわからない——一般人ならば、よくあることだ。

だが、極道の情婦にそれはない。

暗記しているはずだ。

組には、定時電話をするという不文律がある。どこの組でもやっていることで、組員は、外出先からそれぞれ決められた時間に、必ず組事務所に、電話を入れ、所在を告げることになっている。神野組では二時間に一度だ。

その日の当番組員が、それをノートに記録する。これがないと、そいつは飛んだ、とみなされ、即刻追手がかかる。

だから組員は、事務所の番号だけは確実に暗記している。

情婦もそれに準じている。組員のように頻繁ではないが、日に三度、神野のスマホに直接連絡するのが掟だ。

電話がなければ、情婦も飛んだとみなされる。

従って、どんな状況でも、どうにかして連絡しようとするはずだ。

——まさか。

景子は飛んだのか？

事故に遭ったのを機会に、神野から逃げたのだろうか。

胸がざわついた。

極道がやたらと絆を求めるのは、裏返せば、裏切りが当たり前の世界だからだ。

神野はスマホを取りだし、熱海の玲子に電話した。

玲子はすぐに出た。

「おいっ、そっちに景子から連絡はないか」

「えっ、お父さん、姐さんからは何も連絡ないですよ。どうかしたんですか」

玲子の声はいつも通りだった。

「東名で事故に巻き込まれたようだ」

「ニュースでやっていたタンクローリーが爆発していたやつですか?」

「そうだ。あいつゆうべは何か変わった様子とかなかったか?」

ストレートに聞いた。

「いいえ。いつもの姐さんでしたよ。開店祝いに来た偉い人たちを、私ひとりでは捌き切れないので、姐さんが大活躍してくれました」

「熱海の親分衆とかも来たのか?」

玲子に彼女の地元である熱海に出店させたのには、訳がある。

関東舞闘会と地元の有力団体『熱嵐会』との提携を深めるためだ。

関西の日本最大任俠団体の東進が止まらない。もはや、関西系は全国各地に飛び石のように陣地を広げている。

それを阻止するために東の雄、関東舞闘会としては、カウンター攻撃を打つ必要があった。

それが東海地区への進出である。

玲子のキャバクラの出店に当たっては、地元の熱嵐会と一年にわたる交渉を続け、東側陣営に入ることを納得させた。

玲子の店は、いわば関東舞闘会神野組の熱海における出張所である。

店名を『ゴッド・エンバシー』としたのは、神野組の大使館という意味である。だが、極道同士の協定ほど曖昧なのもはない。力関係が変われば、あっさり裏切られる。関東に恭順を示している熱嵐会も、腹では何を企んでいるのかわからない。実は西と通じていて、景子を人質に取るということもありうるのだ。

神野は自分が不信感の沼にいると、思った。考えるほど、誰もが信じられなくなるのが極道に身を置く者の習性だ。

考えるのをやめた。

「まさか、お父さん。いまどきヤクザが店に顔を出したりするもんですか。来たらそれは嫌がらせ、すぐにお父さんに電話入れてますよ。熱嵐会系の各組の親分さんたちは、きちんと協定を守ってくれて、みなさん代理の女性にご祝儀を持たせてきたぐらいですよ」

玲子は苦笑いしているような言い方だ。

「偉い人とか言うから、ついそっち系が来たのかと思ったぜ。景子が相手したとなれば、余計にそう思う。そりゃそうだよな。ヤクザが開店祝いに来るわけがねぇ」

どうも自分は疑心暗鬼になっているようで、いけない。

「銀座の桃子ママが、ご自分のお客様を連れて、熱海まで顔を出してくれたんですよ。偉いお客さんばかりでしたよ」

玲子が声を弾ませて言う。

銀座の桃子ママとは、上杉桃子のことだ。銀座八丁目のクラブ『ポアーロ』のオーナーママで、政財界に太いパイプがあることで知られている。

関東舞闘会の総長、黒井健人の素顔を知る数少ない民間人で、景子や玲子に、水商売経営のノウハウを教えてくれた人物でもある。

「そいつはありがたいこった」

裏を返せば、大きな借りを作ったことになるが、神野はあえて、それは言わなかった。

「いずれも熱海に別荘に持っている大手企業や銀行の幹部さんたちで、もう私、緊張してしまいましたよ。歌舞伎町のお客と感じが全然違うじゃないですか」

確かに違う。

歌舞伎町の高級キャバやクラブにも、都庁の役人や西新宿に本社を構える大企業の幹部もやって来るのだが、六本木や銀座のように社用族が溢れているわけではない。

歌舞伎町は企業同士の接待よりも、むしろ個人が快楽を貪りにやって来る町だからだ。

「けれど桃子ママが付いていたんだろう」

「それが、ママはオープンの七時過ぎに皆さんを連れてきて、三十分ぐらいで東京に帰っちゃたんですよ。九時頃の新幹線に乗るって。まぁ、ご自分のお店があるのだから、当然と言えば当然なんですけどね。お偉いさんたちは、熱海に泊まるということで、もう景子姐さんにお願いするしかなかったんですよ。私は、直接声をかけた地元のお客さんの相手で、てんてこ舞いだったもので」

玲子の気持ちはよくわかった。

歌舞伎町のノリでスタートさせた『ゴッド・エンバシー』であったが、熱海は古くから東京の奥座敷と呼ばれている土地柄である。

筋のよい客を増やせたならば、ワンランク上のナイトクラブが目指せる。それこそ関東舞闘会としては、重要な情報源となるのだ。

景子もそれで頑張ったに違いない。

「玲子、わかった。おまえはとにかく、そっちの稼業に精を出せ。景子のことはこっちで探す」

ちょうどビルのエントランスから内川と佐々木が出てきたので、玲子との電話は、それで終えた。

ふたりが走ってくる。

「組長、手続きを終えました。警察庁の小野さんから、きちんと連絡が入っていたようです。レッカー車の代金を払うと、すぐに引き渡し用の書類の手配をしてくれました。ところで組長、なんで、うちはこんなにも警察とうまくいっているんですか？」

息を切らせながら、佐々木が怪訝な顔で聞いてきた。

「うるせぇ。いちいち余計なことを聞くんじゃねぇ」

佐々木の顔を睨みつけてやる。内川も軽く、佐々木の脇腹を肘で突く。

黒いカラスも親が白だと言えば、白いカラスですね、となるのは極道の掟だ。

「すんませんっ」

「佐々木、ポルシェのスペアキーは持って来てんだろうな」

「へいっ」

佐々木が黒革のジャケットからキーを出して見せた。

東京料金所のゲートを行き交う車の、轟音が響き渡っている。午前零時を回ったので、トラックが一斉に東京方面へのゲートを潜り始めていた。排気ガスの臭いがきつい。

パーキングアリアの奥まった位置に駐められていたポルシェ718スパイダーまで辿りつき、ドアノブを引いた。キーを感知してロックは簡単に上がる。

佐々木がドライバーズシートへ乗り込み、神野はサイドシートへ回った。エンジンを回すと、すぐに助手席フロントガラスの目の前で、ドライブレコーダーが点灯した。

キーがないので警察は、ドラレコの確認までは出来なかったのだ。もっとも、捜索令状がなければ、警察も車内を検めることはできない。この時点で警察力が及ぶのは、道交法に基づくレッカー移動までだ。

「こいつを再生させると何かわかるかもしれない」

神野は録画を巻き戻した。三十二GBなので、六時間分は収録されているはずだ。

午後三時前後の映像を探した。

「おっ」

視界は雨に煙り、ワイパーが最速で動いていた。

午後二時五十六分。

ポルシェの前を走る数台の車が、いきなりスローダウンした。景子もあわててブレーキングしたようで、画面が揺れた。目の前は小型車だ。ギリギリで追突を避けていた。

三台ほど先に、タンクローリーがいた。前の車に衝突したようで、フロントの方から白煙が上がっている。

真後ろにいた黒のセダンのボンネットがタンクローリーの後方バンパーの下に食い込んでいるように見える。

だが、まだ爆発は起こしていなかった。

しばらくそのままの状態の映像が続く。ポルシェの前にいる小型車は、よく見るとフィアット・チンクエチェントだった。

色は鼠色。激しい雨に打たれているせいで、本当に溝鼠のようだ。世田谷ナンバーのコンパクトカーだ。

タイムコードは午後二時五十七分十秒を示している。景子が神野に電話をしてきた時間だった。

この場面では、まだタンクローリーは爆発していない。大きな衝撃を受けた気配はない。

午後二時五十七分五十三秒。

前にいるフィアットの左側のドアが開き、女が降りた。

ピンクのタンクトップにホワイトデニムのショートパンツ姿だ。サングラスをしているようだ。土砂降りにもかかわらず傘もさしていない。赤毛のロングヘアがたちまちずぶ濡(ぬ)れだ。

女は両手に発煙筒のようなものを握っている。

が、歩く方向がおかしい。発煙筒は、後続車に事故を知らせるものだ。ところが女は前方のタンクローリーの方へと駆け出している。

タンクローリーの手前に、もう一台、黒のセダンが停車していた。メルセデスのSクラスのようだ。

ドラレコの視界は狭く、女の行く手は、はっきりしない。セダンの先まで進んでいるように見える。

二時五十八分三十四秒。女が戻ってきた。顔が見えた。彫りの深い整った顔立ちだ。手に持っていた発煙筒が消えている。

女がフィアットに乗り込むと、いきなりバックをはじめた。ポルシェのフロントノーズのギリギリまで下がってきた。

景子はおそらくむっとしたに違いない。クラクションの一発も鳴らしたか？ 残念ながらドラレコに音は収録されていなかった。

二時五十九分。

突然、タンクローリーが爆発した。タンクが破裂し、火柱が上がる瞬間をカメラは克明に捉えている。

爆風に煽(あお)られたのか、フロントガラスが揺れているように見えた。

そこでドラレコの映像が切れた。これは景子がエンジンを切ったと見るべきだ。このドラレコはエンジン停止中は、何らかの衝撃が加えられない限り作動しないタイプの製品だ。

景子は、ここでいったん車を降りたのだ。

——それから、どこへ行った？

2

窓のないベッドルームは朝を迎えても闇のままだ。

神野は、一睡もせずに一夜を過ごした。ウイスキーをいくら飲んでも酔えず、むしろ意識は覚醒するばかりだった。

ポルシェは組事務所の地下駐車場に収められたが、景子の消息は不明のままだ。

神野はベッドから起き上がり、灯りをつけた。ラブホテル特有の間接照明だ。朝でも昼でも、夜と変わらない明るさだ。

それにしてもポルシェの目の前にいたフィアットが気になった。

フィアットから降車した女の動きは、さらに気になった。どう考えても不可解だ。危険物運搬車のマークが大きく表示されているタンクローリーの方向に、発煙筒を持って行くなど、普通ではありえない。

日本語が読めない女なのか？

苛立ちは続き、脳内でタンクローリーが爆発する映像が何度もフラッシュバックした。

景子はどこへ消えた？

身体の隅々にまでに憤怒の念が走る。

情婦への愛とか未練とか、そうしたセンチメンタルで不確かなものとは違う、疑似家族の長としての自責の怒りだ。

どんなことをしてでも探し出さなければ、漢が廃るというものだ。

午前八時。

一階の組長室に降りると、すぐに内川が駆け込んできた。

「組長(おやっさん)、あのフィアットのナンバーは、真っ赤な偽物でした。該当車は、トヨタのパッソで、持ち主はおとといから車検に出していたそうですよ」

内川は、ドラレコの映像で読みとったフィアットとさらにその前にいた黒のメルセデスのナンバーの照会を、交通機動隊の知り合いに頼んでいたのだ。

「なんだとっ」

無意識のうちに頬が痙攣(けいれん)する。

これは、景子が拉致されたのではないかという疑いを、はっきりと裏付けるような報告だ。

「それとタンクローリーとフィアットの間にいた黒のメルセデスは、北急物産の社有車でした。車両は爆発し半壊してしまったようですが、神奈川県警が調査のために保管しているそうです。ただしドラレコのメモリーは木っ端微塵(こっぱみじん)だったと」

それは、ニュースで言っていたドクターヘリで運ばれた副社長が乗っていた車両ではないか。

「フィアットの方は、どうなったんだ？」

「爆発や火災が収まって、警察が交通整理に入った時には、すでにいなかったようです。無傷の車が数台、進行していったのは、後方にいたパトカーも確認しています」

そういう内川も悄然となっていた。

「あのフィアットなら通れただろうからな」

神野は葉巻ケースからタバカレラを一本取り出した。すぐに内川がライターを差し出す。

「トヨタパッソの持ち主が車検に出したのはどこかわかるか？」

「すみませんっ。交機からは、そこまで教えてもらっていませんでした」

神野に殴られると思ったのか、内川が歯を食いしばり、両手を後ろに組んだ。

「わかった。景子のいない間の女たちの仕切りを誰かにさせねばならんな。お前の情婦を使え」

「はいっ」

内川の女は加奈という。景子の経営するデリヘル『初情』のナンバーワンだ。いずれは、内川ともども分家させるつもりなので、このタイミングでデリヘルのマネジメントを学ばせておくのも悪くない。

葉巻の煙を燻らせていると、いきなり扉が開いた。誰かと思い気色ばんで立ち上がると、そこに入ってきたのは、黒井健人であった。黒のイタリア製のスーツにノーネクタイ。髪はGIのように短く切り揃えられている。メジャーリーガーのマイク・トラウトのような風貌だ。

「総長っ」

神野は慌ててソファの上座を空けた。葉巻はすぐにクリスタルの灰皿の上でもみ消す。

「サシの話だ」

黒井は、刺すような視線を内川に向けた。

「へいっ、誰も近づけねぇようにします」

内川はすぐに頭を下げて、組長室から出て行った。

黒井がソファに腰を下ろす。巨体なので、クッションが音を立てて沈み込んだ。

「捜査分析支援センターが繋ぎ合わせた映像のコピーだ。流してみろ。ポルシェも映っている」

黒井は、そう言うなりオークウッドのローテーブルの上に、ＳＳＤメモリーを放り投げてきた。

「わざわざ歌舞伎町にまで出張っていただき恐縮です。たかが自分の女のことで、こうまでしてもらって、面目ない限りです」

神野はすぐに立ち上がり、ＳＳＤメモリーを壁の液晶モニターにセットした。

「いや神野、その映像を見ればわかるが、ちょっと事情が違ってきた」

黒井が葉巻ケースに手を伸ばしながら言う。

「どういうことで？」

「映像を見ればわかる。妙な感じがするのは、俺だけか、お前の意見も聞きたい」

黒井はライターを出そうとする神野を、手で制して自ら葉巻に火をつけた。

神野は急いで、動画再生のスイッチを押した。大型画面に、東名高速道路の映像が流れる。

事故現場付近のようだ。

景子のドラレコと異なり、アングルは俯瞰(ふかん)であった。東京方面へ向かってくる様子を捉えている。

ナンバーを読み取るためのＮシステムのカメラのようだ。速度違反取締用のオービスのように光ったりはしない。ただし、走行した全車のナンバーを識別する機能が付いている。

午後二時五十五分二十秒の映像で、上り線を東京方面に向かう車が走行していた。豪雨の高速道とあって、どの車も、心なしか速度を下げてカメラの下を走り抜けていた。

時おりカメラに雨の水滴が付着するが、レンズがやや下方を向いているせいか、水滴はすぐに落ちるので、視界は充分に確保されている。

それにしても激しい雨だ。道路上にいくつも轍(わだち)ができて、それが因(もと)で、大きな水しぶきがあがっていた。

これではいつ事故が起きても不思議ではない状況だ。

「もうじき事故が起こる」

黒井が葉巻の先で画面を指した。

コンテナを積んだ大型トラックが映り込んできた。『飛翔運輸(ひしょううんゆ)』とフロントグリルに書いてある。その下に丸に飛のロゴマークだ。

「あっ」

突如急ブレーキを踏んだようだ。大きな水飛沫(しぶき)があがる。スリップを起こし十メートルほど蛇行した。

荷台のコンテナが傾き、バランスを失ったトラックが中央のガードレールに激突し分離帯に乗り上げて急停車した。排気口から白煙が上がっている。

その斜め横を向いたボディに、トレーラーが突進してきた。上下二段に、中古車を五台ずつ積載している。

コンテナ車のボディには『大松車両サービス』とある。

大きく上がった水飛沫で前方が見えなかったのか、トレーラーは減速することなく、一気にトラックの荷台に激突した。

ドライバーシートのガラスが砕け飛び、グリルが変形していく様子がはっきり見えた。積載車が崩れ落ちていく。

後続車両が慌ててブレーキングしたが、何台かは避けきれず衝突した。映像は無音だが、画面から金属が激突しあう轟音が聞こえてくるようだった。

極道でなければ目を背けたくなる激突シーンだ。トレーラーの扉が開き、ドライバーが這い出てきた。無事だったようだ。中央分離帯の植え込みに前輪を乗り上げていたトラックのドライバーも降りてきて、トレーラーのドライバーに手を貸している。

ふたりは雨に打たれながら、中央分離帯の上に一時避難した。

「トレーラーの運転手が、無傷だってぇのがすげぇ」

神野は立ったまま眺めていた。

「おかしいだろう。まるでスタントマンだ。もう一度そこをプレーバックして、突っ込んでくるトレーラーの運転席をスローをかけて見ろ」

黒井は葉巻の煙を吐きだした。濃厚な香りだ。神野としては、それよりも景子のポルシェが映る場面を見たいのだが、総長の言葉には逆らえない。

ただちにリワインドした。

土砂降りの画面。

トラックがスリップし、斜めを向く。大きな水飛沫。

水飛沫の向こう側からトレーラーが激走してくる。

大激突を起こす。

「その水飛沫が一瞬切れたところで、トレーラーの運転席が見えるだろう。戻せ」

黒井が立ち上がってきた。神野はリモコンで、ほんのわずか巻き戻し、激突直前のシーンで止める。

「えっ」

神野は小さく呻(うめ)いた。運転席に人が見えないのだ。慌てて、さらに巻き戻して、トレーラーがカメラに捉えられた時点から、確認する。

「まさかっ」

今度は大声をあげた。

画面の中のトレーラーのドライバーが、すっとシートに身を倒したのだ。速度は下がらないので、アクセルは踏んだままのようだ。

「そのまさかだよ。ドライバーは、激突させるつもりで、身を守ったんじゃないか。現場からの検証報告だと、助手席側のシートとその足元には、毛布と掛け布団が積まれていたそうだ。本人は仮眠用だと言っているが、俺は、最初(はな)から衝撃を和らげるためのクッションとして持ち込んでいたんじゃねぇかと、睨んでいる」

黒井が液晶画面の中のトレーラーの運転席を指で突(つつ)く。ドライバーは前方を見たまま身体を倒しているのだ。

「わざわざ、事故を起こしたと？」

「そんな気もしねぇわけじゃない。動画を進めろよ」

黒井に促され、神野はリモコンの再生ボタンを押した。

アングルが変わった。

右後方にタンクローリーが見える。さらにその背後に、黒のメルセデス、鼠色のフィアット、赤のポルシェまで映っていた。広角レンズのようだ。

黒井が付け加える。

「タンクローリーの隣、中央車線を走行していた車の後方カメラの映像だ」

この車は、タンクローリーを追い越してすぐに、前方のトラブルを知り、急ブレーキを踏んだようだ。

景子のドラレコ映像とは真逆のアングルだ。

タンクローリーは、その前にいたワンボックスカーに追突したようで、右側のガードレールに突っ込んでいた。玉突き状態で黒のメルセデスがタンクローリーにボンネットを食い込ませていた。

タンクがどれほどの損傷を受けているのか、この映像からは判明しない。

次の瞬間、神野は唖然となった。

鼠色のフィアットから出てきた女が、『メーガン石油』のロゴと社名のあるタンクローリーと追突しているメルセデスの脇に火を噴き上げている発煙筒を置き、小走りに戻っていったのだ。

液体が流れる可能性があることは誰の目にも明らかな状況だ。

タンクローリーが、突如オレンジ色の炎と黒煙をあげたのは、その十秒後だ。ポルシェから、景子が飛び出してきて、フィアットの左側フロントドアを蹴り上げているのがかすかに見えた。

その後は、黒煙に包まれ何も見えなくなった。

このドラレコの積載車も危険を感じたのか、ゆっくりではあるが、前進しだした。

「トラックとトレーラーの追突現場は、三十台ぐらい先だが、巻き込まれなかった車が順に動き出して、左車線が空いたのさ。路側帯も走行可能だった。だがこの車は路側帯でそのまま待機していた。タンクローリーに追突したメルセデスと一緒の帰り道だった車だからだ。この車は同じメルセデスでもマイバッハだ」

「ということは、北急物産の車ですか？」

「いや、こっちの車は日本商業銀行の副頭取の専用車だ。だが副頭取は商談を兼ねて、北急物産の常務の車に乗っていた」

それでふたりそろって、ドクターヘリで運ばれたということだ。

黒煙が晴れると、画面からフィアットは消えていた。十秒ほどの間に、走り去ったようだ。

景子の姿はない。

「総長、これは仕組まれた事故ということでは」

「お前もそう思うか？　景ちゃんは、フィアットに乗っていた人物に攫われたと見るのが正解だろう。これは事件だ」

黒井がきっぱりと言い、ソファに戻った。

動画はまだ続いていた。いきなり東京料金所の上りゲートに飛んでいる。

「おっ、ここにいますね」

ゲートを通過する鼠色のフィアットの姿があった。

「午後三時二十五分の映像だ」

映像では下りゲートは通行止めにされていたが、上りゲートからは、吐き出されるように次々に車が出ていた。

「堂々と出て行きやがった」

神野は額に手を当てた。景子はどこに連れていかれた？

「現時点での追跡映像はここまでだ。ＳＳＢＣが引き続き、主要道路の映像を収集している。フィアットの足取りは、すぐにわかるさ」

黒井はあきらかに神野を気遣うような言い方をした。

だが、フィアット発見と同時に景子も発見されるとは限らない。神野の苛立ちは収まらなかった。

「総長、お言葉ですが、SSBCの調べにはまだ暇がかかると思います。俺なりに動きたいんですが」

言い終えて、きつく唇を噛んだ。血が出そうなほど噛んでいる。

極道の世界で、下が上に物申すには、それ相応の覚悟がいる。聞かれもしないのに意見を述べるのは、弓を引くようなものなのだ。

黒井が睨み返してきた。

「どこに動くってんだ？」

部屋の空気が張り詰める。

「ぶつかったトラックとトレーラーの会社を叩いてみます。もし総長や俺の推測通り、偽装事故なら、叩けば何か埃が出るでしょう」

神野は早口で伝えた。気が急いている。

黒井は、しばらく腕を組んで考え込んだ。

「わかった。揺さぶってみろ。俺から警察庁の小野さんに伝えておく」

黒井が不敵な笑いを浮かべた。

つまりそれは『正式な闇捜査』の許可を得るということだ。

黒井は黒井で、この事案の奥に何か得体のしれない犯罪が隠されていると踏んでいるようであった。

　神野はすぐに特攻隊を編成した。

3

　饐えた臭いで目が覚めた。

　コンクリートの打ちっぱなしの部屋のようだった。窓からは白い空だけが見えていた。腰のあたりに違和感があった。

　――えっ、なに？

　次の瞬間、景子はスカートをたくし上げられていることに気づいた。覆いかぶさって来ているのはフィアットを運転していた男だ。一重瞼で頬がこけている。落ち着きのない眼の動きだ。

「私に手を出したら、あんたもう生きていられないわよ」

　景子は啖呵を切った。だが、身体はまだ弛緩したままで、思うように動けない。

　クスリが効いているようだ。

　この剣幕に、男は一瞬、怯んだような眼をしたが、すぐに気を取り直した。スカートの裾を臍の上まで捲ると、格子柄のパンストの腰骨辺りに指をかけてきた。

レースの縁取りをした黒のパンティが透けて見えているはずだ。

「早く挿入してしまえってよ」

男の背後から女の声がした。

東名高速道路の事故現場で、発煙筒を持ってうろうろしていた女だ。赤毛は鬘だったようで、いまは黒髪のロングヘアを掻きあげながら、片耳だけに装着したイヤホンを人差し指で押さえている。どこかから指示を受けているようだ。サングラスを外した顔は、二十歳ぐらいに見えた。

「わかっている」

男がパンストをパンティごと引き下ろしてきた。土手が露出された。景子は剃毛を欠かさない。だからつるつるの丘だ。

「ふざけんじゃないわよ。おまえなんかに突っ込ませるか」

景子は膝を曲げ、一気に蹴り上げる。

「うっ」

男は短く叫んだ。

だが急所を外していた。顎を狙ったはずが、ヒットしたのは肩だった。

「ちっ」

逆に上げた脚の太腿を押さえられた。下着を両足首から引き抜かれ、そのまま丸めこまれる。屈辱のまんぐり返しだ。

男はガチャガチャと音を立てながら、ベルトを外している。

「おばちゃん、そこ、濡れてんじゃん」

女がスマホのレンズを掲げながら、接近してきた。ライトを当てられ、おま×こを撮影される。頭にきた。

「小便臭い女が、ほざくんじゃないよっ。まじ殺してやるからね」

肩と腰を捻って抵抗した。

男はたいした腕力でもなさそうだ。日頃、見ている極道たちに比べたら、あきれるほどの優男だ。十六で歌舞伎町デビューを果たし、やんちゃを尽くしてきた景子にしてみれば、膝蹴り一発で撥ね返せるレベルの相手だ。

だが、いまはまだ身体の芯が、弛緩したままなのだ。意識は回復したが、身体は思うように動いてくれない。

膝蹴りが決まらなかったのもそのせいだ。

「うるさいよっ」

勃起した肉の弾頭が、女の亀裂に入り込んできた。優男だが巨根の持ち主だった。亀頭に続いて、太い幹も潜り込んでくる。

「うっ、勝手に挿れないでよ。う、くっ」

屈辱に歯ぎしりしながらも、身体のまん中から蕩けるような快感の渦が押し寄せてくる。そういうふうに出来ている器官だから、しょうがない。

「おばちゃん、すごいよ。チ×ポがずっぽり入って、もうびっちょりじゃん。おばちゃん、すけべだわぁ。これ、エロサイトにアップしたら、リアルで人気でそう」

男が小陰唇を割り広げ、交わっている接点を露わにして映させている。

そのアングルの映像を思い浮かべただけで、卒倒しそうになった。

「どこ映しているんだよ。憶えていなさいよ」

悔しさで顔が火照る。

「はい、その顔もアップで撮ってやる。リアル熟女のエロ顔、これバズるよ」

女がスマホのレンズを上方に向けてきた。

「やめてっ」

顔を映されるのだけは絶対に嫌だ。

景子は渾身の力を込めて上半身を起こした。まんぐり返しの体勢で、腰を動かし始めた男の顔面に、額を叩きこんだ。

「ぐわっ」

男の鼻梁が鈍い音を立てて折れ、血飛沫があがった。顔面に衝撃を受けたというのに挿入していた肉茎は、萎えるどころかさらに硬直した。膣肉が強い刺激でざわついた。

「んんんっ」

景子自身も軽い脳震盪を起こしていた。額が割れたようで、血が滲み始めていた。

「このクソババア！」

女が蹴りを見舞ってきた。景子はあえてその方向に顔を向けた。スニーカーの爪先が割れた額を直撃する。

「痛いっ」

大げさに顔をしかめる。

さらに額が割れた。

だが、額ならばまだいい。

顔の中で一番危ないのは、耳と眼の下あたりの頬だ。頭蓋骨と繋がっている部分で、ここをやられると、死ぬこともある。ヤクザの女を五年もやると、そうした知識も身につくものだ。

「小便臭いかどうか、嗅がせてやるよっ」

女が顔に跨ってきた。ホワイトデニムのショートパンツの硬い股間が、鼻梁を覆った。

尿臭はなかった。甘い香水の臭いがした。

フィアットの前で、いきなり注射針を刺してきたのがこの女だ。服の上から肩に刺され、チクリと感じた瞬間に、身体からすべての力が抜け、意識も遠のいた。

睡眠剤とも覚せい剤とも違う。こんな薬物は初めてだった。

「くぅう」

尿臭はないものの、顔面を股間に覆われ息苦しい。視界も遮られた。

「あんた、さっさとピストンしなよ。私、こんなところに長居したくないから」

女が男に言っている。

「わかった、わかった。俺も、早く帰りてぇ。ぜんぜん話が違うことになっているじゃないか」

男が答えながら、腰を送り込んできた。

男の怒張は、まるでED治療薬を服用しているかのような漲り（みなぎ）だった。肉嵩（にくがさ）があり張りだした鰓に、膣肉を鋭く抉られた。ズンズンと子宮を叩かれた。

「あっ、あんっ」

凌辱されているというのに、景子は喘ぎ声を漏らした。

「おばちゃん、よくなってきたみたいだね」

女が景子の顔面から腰を浮かし、景子の横にしゃがんだ。改めて、スマホのレンズを顔に向けてくる。

「いやっ、あんっ、映さないで……はうっ」

首を左右に振ったものの、語尾は喜悦に掠れ、鼻孔から発情の息を吐いていた。血が滲んでいる額にも歓喜の汗が浮かび始めている。

景子はすでに抵抗する気力を失い甘美な疼きに酔わされていた。

顔にライトの眩しい光が当たると、恥辱とともに欲情の段階が明らかに一段上がった。やはりセックスは麻薬と同じだ。

景子の反応が変わったことで、男は自信を取り戻したようだ。腰の角度を様々に変えてきた。

「おっぱいが見えないって、言っているわ」

女が男に言った。おんなは、スマホで誰かと話しているようでもあった。

「わかった」

男は指示されると景子のジャケットやブラウスのボタンを千切り、上半身も露わにした。

「うわっ、何、このおばさん！」

女が先に声を上げた。

景子の上半身には、大きな錦鯉（にしきごい）の刺青（いれずみ）が入っている。肩から上腕の半分ぐらいまでは鱗（うろこ）模様で、左乳房を覆うように錦鯉が彫られている。

上腕は半袖のシャツから出ない位置までにしてある。

背中は神野の好みで派手な桜吹雪。もちろん組専属の彫り師の手によるものだ。

「げっ、俺、やばい人に挿入しちゃっているかも」

男も狼狽（うろた）えた。

だが男根は萎縮しない。勃起不全防止薬を服用していることは、もはや疑いようがない。

「あの、このひと、ちょっとやばくないですか？　この刺青見てくださいよ」

女が景子の刺青を撮影しながらも、そのスマホに向かって叫んだ。

誰かの指示で動いていることは明白だ。だが、会話の相手の声は、イヤホンの中なので、聞き取れない。

「えっ、そんな」

言いながら男の方を向き、

「キングが女の素性を聞き出せって」

と伝えた。

「嘘だろ。そんなことまで、やるとは聞いていない。ただ強姦してしまえといわれただけだぜ」

「でもキングがそう言っているのよ。えっ、またなんか、言っている」

女は再びイヤホンを指で耳の奥へと押し込んでいる。キングという人物の指示を確認しているようだ。

「はい、えっ、そんなっ」

と呟き、再び男に電話の相手の意思を伝えた。

「聞き出せなかったら、キングはエレベーターを上げないって。あんたやるしかないわよ」

女の声は悲壮なものに変わっていた。

エレベーターを上げないとは、どういう意味だ？

景子は、次第に快楽に溺れながらも周囲を見渡した。

学校の教室ぐらいの部屋の片隅にエレベーターの扉があった。部屋にダイレクトにエレベーターが付いているということだが、さらに見回すと、他に出入り出来るような扉はなかった。

つまりエレベーターだけがこの部屋と外を繋ぐ扉ということだ。

「あんた、何者なんだよ。極道の妻(おんな)かよ」

男が腰を振りながら、聞いてきた。動きがぎこちなかった。

「そうよ。だから、あんた、もう死ぬしかないよ。姐さんって呼ばれている女に挿し込んでしまったんだからね。どこに逃げても無駄だよ。観念しなよ。んんんっ」

景子は、膣壺(つぼ)を絞りながらも上擦った声を上げた。

「どこの組なのさ!」

今度は女のほうがヒステリックな声を上げた。

「あんたら闇バイトに応募して、ヤバい仕事の手先にされているのね。それで私を攫ったっていうのは最悪ね。行くも戻るも、地獄だよ」

景子は挑発した。

悪党同士の駆け引きなら負けない。とにかく多くを喋(しゃべ)らせて、情報を増やすことだ。

「うざいわね。あんたが高速でいきなり出てきて、ビンタなんかくらわせるから、攫うしかなかったのよ」

女がそう口にした。

予定外の拉致だったということらしい。

女のイヤホンから声が漏れてきた。野太い男の声だ。

『挑発に乗るな。ヤクザの女なら作戦変更だ。素性を割らせても意味はない。別な使い方をする。イキ死にさせろ。あとはこっちがやる』

キングの声らしい。時々声が途切れた。海外からの指示かもしれない。

「わかったわ。イキ死にさせたら、うちらのことは、下に降ろしてくれるんですね」

『OKだ。金も予定通り振り込んでやる』

そんなふうな声が聞こえた。

「作戦変更だわ。寸止め地獄で、口を割らせるんじゃなくて、イキ死にさせろって。私にやらせて」

女が男の背中を叩いた。

「そいつは、任せた」

男が肉棒を抜いた。膣層に喪失感が走る。

女が大きめのトートバッグから紫色のバイブレーターを取り出した。スイッチを入れると尖端が回転する。禍々しい獅子の顔が彫られており、陰核攻め用の嘴も振動している。

こんなものを挿入されたら、ひとたまりもない。

景子はさすがに身震いした。十代でやんちゃしていた時代、景子も敵対するレディースの女総長を攫っては、バイブ攻めで扱いたことがある。

バイブ攻めはセックスとはまったく違う。

心身共に木っ端微塵になるのだ。

女は手錠も出した。

「女王様の仕事なら斡旋するわよ。いいお金になる」

景子は唆した。ふたりともどうせ金に困って、闇サイトにアクセスしてしまった口だろう。

倍額で裏切らせる手もある。

「あいにく、うちら人質を取られているんで、むりっ。あんたは、右の乳首を舐めしゃぶって」

と女が命じると、男はむしゃぶりついてきた。左乳首は女にしゃぶられる。

「うぅううう」

ふたつの違う舌の感触に、無意識に腰を浮かせた。

その瞬間、股間にぐさっとバイブが入ってきた。

「んんんんっ、あぁああっ」

景子は抗う言葉すら失った。

バイブの尖端が子宮を抉り、胴体に付いた嘴が、女の体の中で一番肝心なところを、集中的についてくる。

「はぁ、あんっ、あっ……」

一気に快感が昇ってきて、あっさりと極限へと導かれる。一瞬にして脳内が吹っ飛ばされた感じだ。

「いやぁあああああ」

ぎゅーんと股間に蕩けるような刺激が走り、景子は絶頂した。これで終わりではないのはわかっている。ここから何度も何度も、昇かされるのだ。

「ごめんね、おばさん。おばさんが堅気なら、うちらの仲間に入れるだけでよかったのよ。エロ動画撮って、寸止め地獄で住所とか家族とかを吐かせて、裏を取ったら、一緒に働くって。でも極道の妻となると違うでしょう。昇天し切って、狂人になってもらうしかないのよ。うちら殺人はやんないから」

猛(たけ)り狂ったバイブを差し込まれたまま、耳もとでそう囁(ささや)かれた。

「キ、キングって何者……」

少しでも情報を取ろうとしたが、次の瞬間、再び頂点が訪れた。

「あぁあああ。いや、もう許してっ。頭がおかしくなっちゃう」

クリトリスが硬直しすぎて、破裂してしまうのではないかと思った。身体中に玉のような汗が流れている。

「おま×こ、痺(しび)れちゃうでしょう。でもここからだから」

女はさらにバイブの振動レベルを上げた。とくに陰核用の嘴の動きはマックスになって攻め立ててくる。

「うあぁああああ」

突っ張った両脚を小刻みに震わせ、景子は叫び続けた。異次元の快感に、のたうちまわらされ、どこか遠いところに飛ばされてしまう錯覚に見舞われた。昇りきった直後の膣や淫芽は、触れられただけで、飛び上がってしまうほど敏感になっている。くすぐったいの極致なのだ。それでもバイブを回転させ続けられると、吐きそうになる。だがその不快感さえも通り越し、また次の快美感にとりつかれてしまうのだ。

死にそうだった。このまま、昇（い）かされ続けたら、確実に廃人になる。

どうすればいい？

景子は懸命に歯を食いしばったが、徐々に気が遠くなってきた。気絶してもおそらくは延々とやられ続けるのだ。

「あんたぁ、助けて！」

泣きながら叫んだが、すでに声にならなかった。

第三章　闇捜査

1

神野は、まずは『飛翔運輸』と『大松車両サービス』のそれぞれに、内川と佐々木に探りを入れさせた。

一昼夜嗅ぎまわり、もどってきたところで軍議となった。

コンテナを積んだ大型トラック『飛翔運輸』の担当は内川だ。

『飛翔運輸』の所在地は、大田区蒲田にあった。

環状八号線と産業道路の交差点付近でわざと同社のトラックに、組員の小型車を追突させ、示談に赴いたのだ。

事故を作って接触の糸口を摑むのは、極道の常套手段だ。

「会社としては、怪しいところはなさそうでした。ただし、事故を起こしたドライバー、横井正雄は、入社してまだ一か月だそうです。全身打撲で青葉台の総合病院に入院中ですが、昨日、退職願いを出してきたとか。責任を感じてのことだそうですよ。四十三歳です」

内川が片眉を吊り上げながら言った。

歌舞伎町一丁目のデリヘル『キャンディ・シスターズ』のオフィスだ。電話番やヘルス嬢たちが待機するオフィスに連なる応接室に入っている。

「追突された側が責任を感じることはないだろうよ」

神野はぶっきらぼうに答えた。

景子が消えて四日経っていた。苛立ちはピークを超え、怒りが先走っていたが、壁を蹴り上げたところでどうなるものでもない。

二丁目の組事務所は、男ばかりで殺伐としており、組員につい八つ当たりしてしまいそうなので、女の香りのする傘下のデリヘルのオフィスにしたわけだ。

「自分もそう思うのですが、警察の見立ては違うようです。現場は土砂降りだったのですが、視界が遮られたわけではなく、急ブレーキの必要性がさほど感じられないというのです」

「前の車が急ブレーキを踏んだとか、スリップしたとかは？」

神野は訊いた。

黒井が持ってきたNシステム画像では、わからなかったことだ。

隣のオフィスから、客の注文を受ける女の声がする。午後二時過ぎだが、ひっきりなしに電話は鳴っていた。商売繁盛。景子がいなくても店は回っているのが、神野には少し寂しく思えた。

「『飛翔運輸』の総務課長がいうには、警察がトラックのドライブレコーダーを検証した結果、前方の車との車間距離は三百メートル以上あったそうです。目の前で大きな飛沫が上がったこともなかったと。ドライバーもそれを認めており、軽いスリップがあったので、ブレーキングしたところ思ったよりも大きく踏み込んでしまったと。そうなると過失は『飛翔運輸』のトラックにもあるということです」

「それで、責任をとるか……」

神野は顎を扱いた。ドライバーが潔すぎる気もする。

「はい。『飛翔運輸』としては、まったく余計な証言をしてくれたものだ、という感じです。過失割合によって保険金の支払いが変わってきますからね。ただし『飛翔運輸』は、それはそれでやむを得ない、ということです。コンテナは倒れましたが、積荷に異常はなかったと。ちなみに荷は、ベトナムで縫製された衣料品でした。梱包がしっかりしていたので、すべて無事だったと」

オフィスの方から今度はコーヒー豆を挽く音がした。香りも漂ってくる。

「ササケンのほうはどうよ」

佐々木の方へと顔を向ける。

「『大松車両サービス』も、まともな会社のようです。常務に話を聞きました。自社のドライバーの起こした事故による惨事の責任を取り社長は即日辞任。即座に巻き込まれた人たちへの補償交渉を行い、ほぼ全額引き受けると。まぁ、すべて保険で対応できるんでしょうが動きが早いです。ただタンクローリーの爆発については、三十台以上も後方の出来事で、自分たちにどこまで責任があるのかは、今後の現場検証の報告を聞いてからだと。まぁ、もっともなことを言っていると思います」

「ドライバーはどんなやつだ？」

神野は、黒井から見せられたNシステムの映像を思い出していた。

明らかに衝突させようとしているようにも受け取れる動きだった。

「ドライバーは小暮真知雄。四十四歳です。『大松車両サービス』には三年前から勤務しています。それまではハイヤー運転手だったとか。勤務態度は真面目で、酒も一切やらない男だそうです。当日、現場では、あまりにも突然、急ブレーキを踏まれたので、パニックを起こして、アクセルとブレーキを踏み間違えたと語っていたそうですが、自分に説明してくれた常務は、小暮ほど慎重な男が、雨中でずっと追い越し車線を走っていたこと自体が信じられないと言っていました」

「積荷は、どこからのものだった」

「御殿場の中古車オークション会場からです。荷主は千葉の中古車販売業者で、午前中のオークションで入手した十台を、運ばせていたとのことでした。あらかじめ、大松車両サービスに予約していたようです。半損が六台、多少潰れた程度の車両が四台とのことですが、大松車両サービスが、予定していた売価で補償するようです」

その中古車販売業者は、丸儲けということだ。

「販売業者の名前は？」

「『湾岸エンゼル・モーターズ』。幕張の業者です」

「ドライバーの小暮というのは、どうしている？」

「怪我はたいしたことはないのですが、心神耗弱状態で入院中です。こちらは横浜青葉インターから近い、セントポール大学病院に入っています」

佐々木は手元で小さな手帳を捲りながら答えた。

刑事に成りすまして聞いてきたはずだ。警察手帳の模造品など、極道は簡単に手に入れられる。同時に、一般人が接することの少ない私服刑事の生態を、よく知っているのも極道だ。

知性派のヤクザは刑事や新聞記者になりすますことを得意とする。

神野組に於いては、内川が武闘派のトップで、佐々木が知性派のトップだ。

「双方のドライバーの背景はとったか」

神野は内川と佐々木の双方を見やった。

極道が言う背景とは、履歴のようなものである。その人物の過去、現在の生活状態、人間関係などだ。

貸金業も営んでいる神野組は、そうした人物調査も得意としている。

「『飛翔運輸』の横井正雄は、埼玉出身で、なんと太陽大学の文学部を出ています。大企業への就職を希望していたそうですが、ちょうど就職氷河期の世代で、いかに一流大学卒業者でもままならなかったようですね。それでずっと派遣の仕事をしながら、大型免許を取って、トラックドライバーの道へ進んだと。これは、実家の近くのスナックの店長から、若い者が聞き取ってきた話です」

内川が先に言った。

「えっ、横井は太陽大学なんですか？」

佐々木が驚いたような顔をした。

「まさか小暮もそうだっていうんじゃないよな？」

神野が、身を乗り出した。

「いいえ。小暮真知雄は啓法大学の法学部卒ということでした。なんか俺たちには縁のない有名大学ですが、ふたりともそんな大学を出ているっていうのに、ちょっと驚きまして」

佐々木がそう言った。

「まぁ、国立のT大学を出て、ヤクザになる奴もいるんだから、そりゃいろいろだろうがよ……」

神野はそう答えものの、少し考え込んだ。

横井が四十三歳、小暮が四十四歳。彼らが大学にいた時期と言えばほぼ二十五年前となる。一九九八年から二〇〇四年頃のことだ。

いわゆるロスジェネ世代の末期だ。デフレスパイラルの就職氷河期に大学を出た世代だ。

後十年早く生まれていれば、バブルの絶頂期。後十年遅く生まれていれば、アベノミクスによるデフレ脱却期に当たる。

こと就職ということでは、もっとも割を食った世代と言えた。

一方でこの時代には、二十代の起業家が多く生まれたのも事実だ。社会や経済の構造が大きく変化したのが二〇〇〇年代である。

オフィスから匂うコーヒーの香りが強くなった。

コーヒーをミルから挽いて、ドリップするのは、神野やここへやってくる組員たちへの景子の気遣いだ。

男たちに旨いコーヒーを振舞うというもてなしの気持ちもあるが、出たり入ったりするデリヘル嬢のきつい香水臭を和らげるためでもある。

とにかく狭いオフィスに様々な香水臭が漂い、噎せ返りそうなのである。コーヒー豆の香りは、それを中和させ、気持ちを落ち着かせる効果がある。

デリヘルの配置や金の計算は、いまは内川の情婦である松原加奈が仕切っており、配下の嬢たちから仮ママと呼ばれていた。

早く本ママに戻ってもらいたいものだ。

前原里香は、現在ここで加奈に気合を入れられている。花道通りのビルの屋上で、ホストの気を惹こうと『飛び降り！』を連発していた地雷系女のリカだ。

地雷系とかぴえん系少女と呼ばれる女たちのひとつの特徴は『かまって欲しい』だ。依存体質でもある。

その体質を『世話してあげる』体質に変えるには、極道の情婦集団に入るのが一番であろう。

黒井や神野の考えだ。

総長の黒井の方針にしたがって、社会からはぐれ、闇に落ちた女を拾い集め、景子が中心になって更生させているのだ。

ホストに嵌まり、大きな借金を背負わせられた女たちは、最初のうちは売春で稼いで返済していくが、そこも過当競争で行き詰まると、さらにヤバい仕事に落ちていく。特殊詐欺の出し子や受け子ならまだましだ。

徐々に強盗事件の手先や薬物密売人に落ちていったりする者も多い。

いますぐ金を稼ぎたい者たちに向けた闇バイトの募集は、ネットのあちこちに潜んでいる。

そうなる最大の理由は、彼女たちに帰るべき家がないからだ。

家がなく、相談する家族もいなければ、立ち直りようがない。

デリヘル『キャンディ・シスターズ』も神野組と同じように、疑似家族としての絆を作り上げている。

半ばおせっかいだが、親や姉妹と同じように仲間として迎えた女たちの話を聞き、助言する。時には叱る。

躾けだから、叱るときは徹底して叱る。そこはヤクザの情婦の巣だから、厳しい。泣いたぐらいでは許してはくれない。正座させられ、こんこんと反省の言葉を並べさせられるのだ。

その代わり仲間に手出しをする者がいれば、総出で仕返しに行く。場合によっては義理の旦那である神野組の構成員が、道具を持って袋叩きにすることもある。

その里香がコーヒーを運んできた。

ごく普通の黒のTシャツにブルージーンズ姿だ。ロングのツインテールだった髪は、ショートボブに変わっている。化粧はしていない。

「ご苦労様です。ブルーマウンテンでよかったでしょうか」

応接セットに座る神野、内川、佐々木にドリップしたばかりのコーヒーを置いていく。

「三日でだいぶ変わったじゃないか。どうした？」

コーヒーカップを持ち上げながら、神野は眼を細めた。

「はい。加奈さんとか美穂さん、それに他の女の人たちも、とにかく私の話を聞いてくれるんです。延々としゃべる私を一度も否定せずに、頷きながら、ずっとずっと聞いてくれたんです。私、喋(しゃべ)っているうちに、だんだん自分が言っていることがおかしいな、って思いはじめて、そしたらもう感情がぐちゃぐちゃになって、最後はわーわー泣いちゃいました。でも加奈さんと美穂さんが交代で、私が泣き止(や)むまで、ずっと肩を抱いていてくれたんです。なんかふたりとも凄(すご)く温かいんですよ」

「それで泣き止んだのか？」

内川が苦笑した。

「はい、もう泣いている理由自体がなんだかわからなくなって。加奈さんの腕の中でとうとう笑っちゃったんです。そしたら加奈さん、一言だけ『じゃ、ご飯行く？』って。それで私、また号泣しちゃって」

「涸(か)れねぇ、涙だな」

佐々木が茶化した。

「メシの席でなんて言われた？」

神野が聞いた。このオフィスに来たもうひとつの目的を探る。

「ずっとここにいていいよって。今日からシスターだっていってくれました」

「それだけじゃねぇだろう？　おめぇ、またロープで吊るすぞ」

内川が凄む。

「いや、はい、佐々木さんがいま空いているから、女になれって」

里香が真っ赤な顔になった。

「えぇえええ！」

佐々木が目を剝く。

「決まりだ。おめぇ、組の決定に背くのかよ」

神野も凄んでやる。

「受けます」

即座に佐々木が頭を下げた。

「情婦もいいねぇ極道は、半人前だ。ササケン、しゃっきりこの女を仕切れや」

「へいっ、おいっ里香、明日もう一度くる。加奈姐さんに仕事をおそわっておけ」

佐々木が乱暴に言った。満更でもない顔だ。

「わかりました」

里香は照れくさそうに頷いた。

「里香、お前さんは今日からうちの娘だ。ササケンのことはこれから『あんた』『うちの人』と呼べ。それが組の仕来りだ。その代わり歌舞伎町で誰かに因縁つけられたら『うちの人は神野組のササケンだよ』で、たいがいカタがつくことになる」

神野は手短に伝えた。

「はい。姐さんたちみたいにしっかり務めます」

里香がトレイを抱えて出て行った。またひとり歌舞伎町に極道の情婦が誕生したことになる。

「話をつづけろ。横井も小暮もそれぞれの会社に入る前はどこでドライバーをしていた？　横井からだ。『飛翔運輸』には一か月前に就職したっていうのが気になる。前はどこにいた？」

ブルーマウンテンを一口飲んでからそう聞いた。味は深くてまろやかだ。

「それが『飛翔運輸』に入る前は二年間無職だったようです。失業保険で食っていたとかで、それ以前もあちこちで短期契約で働いています。そもそも横井は、太陽大学を出た後は、しばらくフィリピンやバンコクを放浪しています。放浪と言っても、ナイトクラブやホテルできちんと働いていたようですが。帰国して大型運転免許を取得をしたのは、三十を過ぎてからですね。それからは転々としていたようです。一番長く勤めていたところで三年。産廃物専門の運送業者『十文字実業』です。しかしここも二年前に退職しています」

内川が淡々と説明した。

「えっ『十文字実業』ですか？」

佐々木がまた素っ頓狂な声を上げる。

「どうした？」

神野は身を乗り出した。

「小暮も十年ほど前に『十文字実業』にいたと、いまの会社に提出した履歴書にありました。ちょっと待ってくださいよ」

佐々木が指に唾をつけて、手帳を捲った。

「やはりそうです。二〇一二年から二年間『十文字実業』に在籍しています。つまり二〇一四年まででですね。その間に、小暮は大型特殊や二種免許も取得したそうです」

産廃物の運搬は積荷の上げ下げが重労働なうえに、荒くれた現場が多く、ドライバーには人気がない。会社側は長期契約をしてもらうために、新たな免許の取得のための休暇の特典をだしていたのだろう。

佐々木が続けた。

「二種免を取得したためか、二〇一五年から二〇二〇年までは『パシフィック交通』に移り、主に外国人富裕層担当のハイヤー・ドライバーになっていました。新型コロナウイルス蔓延(まんえん)のため、利用客が激減しリストラに遭い『大松車両サービス』に転職したと、確かに聞き込んできています」

佐々木の説明に内川も眼を見開いた。

「横井が『十文字実業』にいたのは二〇二〇年までと聞いてきましたが、在社期間の三年が本当だとしたら、二〇一七年からなので、ふたりが重なってはいませんね」

内川が宙を睨み、年数を計算するような眼で言った。

「だが、怪しいな。ふたりが顔見知りだとすれば、これは故意に起こした事故とも疑える。内川、その産廃屋の住所をすぐ当たってこい」

神野は声を荒げた。

ようやくNシステムの映像の、トレーラーを運転する小暮の奇妙な動きの謎がとけた思いだ。

ふたりは間違いなく繋（つな）がっている。神野はそう確信した。

もうひとつ問題があった。

事故から三日も経っているのに、依然としてフィアット・チンクエチェントが発見されないのだ。

東名高速道路東京料金所から、環状八号線を羽田（はねだ）方面に向かったところまではNシステムに捕捉されている。だが、それ以降の情報はいまだに不明である。

――遅すぎる。

神野はそのことに対しても苛立った。警視庁刑事部捜査一課に属する捜査支援分析センター（SSBC）は、Nシステムだけではなく主要道路の監視カメラや道路沿いの民間企業の防犯カメラの映像の提供を受けるなどして、徹底した追跡を行うことで知られている。通常なら三日もあれば、辿（たど）りついた位置がある程度特定されるはずだ。

だが黒井からの報（しら）せでは、フィアットは、環状八号線に降りて、すぐに路地に入ったと思われ、通過ポイントすら、いまだ摑めないということであった。

――どこに消えた？

三日前の雨に煙る東名高速道路の光景を思い浮かべ、神野は何度も舌打ちした。雨にすべて消し去られてしまった気持ちだ。

そして今日もまた外は大粒の雨に打たれている。

2

神野たちは、真夜中に動いた。

東関東道千葉北インターチェンジを降り、国道十六号線を柏方面に進んでいた。千葉市花見川区だ。

間もなく関東地方に大型台風が上陸するという。

大雨は時が進むにつれ強くなり、横殴りの風にアルファードは、何度も大きく揺れた。

ステアリングを握る内川は、その揺れを愉しんでいるようだった。

フォーミュラカーのドライバーになりたかった内川は、公道のトップレーサーをめざして暴走族に入った男だ。

危険な状態になるほど、集中力が増すようで、風の流れにうまく車体を乗せている。

雨がまるで滝のような勢いになってきた。

黒天に雷が光る。

国道の左右にずらりと並ぶ中古車販売店の車両が、闇の中で青光りして見えた。その光に合わせるように、FMラジオはピンク・フロイドの『吹けよ風、呼べよ嵐』を流している。粋なナビゲーターだ。

神野は胸底で、ほくそ笑んだ。

荒れた天候ほど不法侵入はしやすいものだ。助手席に佐々木、後部席に神野と後藤が座っていた。

『十文字実業』についてはネットの情報であらかたわかった。

創業は一九八〇年。最初は住宅建設業、建売メーカーだ。バブル期に借入金が膨らみ一時は民事再生法の適用を受け、一九九五年に産廃物専門の運送業者として再スタートを切り、その後は順調に事業を広げている。

経営者は賀茂政蔵（かもせいぞう）。七十歳だ。中小企業の経営者としてしぶとく生きてきたようだが、そうした経営者こそ、表面（おもてづら）とは違う、裏の顔を持っているものだ。

「あそこですね」

国道を左折し、しばらく走ったところでステアリングを握る内川が、前方を指差した。

闇の向こうに金網のフェンスに囲まれた広大なヤードが見えてきた。ヘッドライトをハイビームにすると鉄条網のゲートの上に『十文字実業』の看板が映し出された。トタン板に手書きの看板だ。

アルファードはフェンスに沿って走行し、中の様子を窺（うかが）った。

フェンスの高さは約三メートル。バスケットのゴールぐらいだ。

助手席の佐々木がサイドウインドウを開け、軍用ハンドライトで、ヤード内を照らした。三万五千ルーメンの強力ライトだ。

闇の中に光のトンネルが出来て、その向こうにダンプカーや大型トラックが浮かび上がった。十台ほど並んでいる。他にブルドーザーも数台駐車していた。解体そのものを請け負うこともあるようだ。

パーキングエリアの奥の方にふたつの建物があった。ガソリンスタンドのオフィスのような大きなガラス窓の平屋オフィスと、その隣に立つ倉庫だ。

フェンスの隅にアルファードを横付けした。

「金網を破りますか？」

隣に座る後藤がヘルメットを装着しながら聞いてくる。ライトの付いたヘルメットだ。

「いや、侵入した形跡は残したくねぇ」

神野もヘルメットを被(かぶ)った。四人ともダイバースーツを着ていた。フェイスマスクも付ける。

「わかりました。用意が出来たら呼びます」

先に後藤が降りた。

まずは金網にテスターを当てている。火花が散った。電流が通っているということだ。

やはり怪しい。普通の運送業者ならば、そんな防犯対策まではしない。まるで暴力団の隠れアジトのような警戒のしかただ。

「雷が落ちたって思うでしょう」

後藤がアルファードのトランクから予備バッテリーとケーブルを取り出し、さらに電流を与えてショートさせた。

そこで佐々木が降りて、縄梯子(なわばしご)の渡し場所を探す。

佐々木がフェンス上方のある一点を見つめ、縄梯子の尖端(せんたん)に付いた錘(おもり)を確認している。二個の鉄球だ。野球のボールサイズだ。

「佐々木、いけるか？」

梯子の両端なので二個同時に上げなければならない。

「どうにか越せると思います」

いうなり佐々木は、左右に握った鉄球を同時に、フェンスの上に向けて放った。

するすると縄も伸びていく。

夜空に閃光（せんこう）が舞った。

鉄球は無事、フェンスの向こう側のコンクリートに落下した。

「よし」

神野が先頭になって梯子を昇っていく。原始的なやり方がもっとも確実な侵入方法だ。強盗も似たような手口を使っているに違いない。

コンクリート地面に着地すると、内川、佐々木、後藤の順に乗り越えてきた。

四人ともヘルメットに装着したライトを付けた。とはいえまだ最小限の明るさだ。

「オフィスからチェックだ」

神野が駆ける。三人の部下も続く。闇の中で四個のライトが蛍のように光り、雨粒に反射した。

ドアには丸いノブがついていた。シリンダー製の鍵穴だ。その上にさらにテンキー付きのドアロックが付いている。

「後藤、やれるか？」

「一分ぐらいで」

後藤がドアの前に進み出て、ウエストポーチから万能鍵を取り出した。後藤は、事務所で暇さえあればピッキングの訓練をしている。国内外の各メーカーの数千種類のシリンダーの山を探り当てヒットさせる訓練だ。

三年の訓練で複雑なシリンダーの構造も、細いドライバーの先から指に伝わる感触だけで、ポイントを探り当ててしまえるようになった。組では貴重な存在だ。

後藤に言わせれば、シリンダー製の鍵でピッキングが不可能なものはないという。問題はどれだけ時間がかかるかで、プロの窃盗犯は十分以上かかりそうな鍵には手を出さないというだけのようだ。

後藤は、一分と経たないうちに解錠した。

次は暗証式だ。

後藤はウエストポーチから今度は、小型のスプレー缶を取り出した。持ち歩き用のアルコールスプレーのようなサイズだ。

テンキーの上に吹き付ける。指紋感知液の噴霧だ。

四つの数字の上に集中的に指紋が浮かんだ。

後藤はその指紋を凝視していた。後藤いわく、人は最初の番号を最も強く押す習性があり、後の番号になるほど順に弱くなるそうだ。

３×７×

後藤が押した。見事に解錠する。

「さすがだな」

神野は後藤の肩を叩き、オフィスの中に入った。四人ともヘルメットのライトの光量を最大にする。

暴風雨の音が轟々(ごうごう)となっている。家捜(やさが)しには御誂(おあつら)え向けの音だ。

神野はデスクの引き出しをかたっぱしから開けた。帳簿類を開いて、次々にスマホで撮影していく。

後藤はパソコンを起動させ、取引先リストや給与支払いリストをチェックし始めた。内川と佐々木は、オフィス内の備品やソファの下などに何かカラクリはないかをチェックしていく。

警察の家宅捜索と異なり、書類を押収するわけにはいかない。侵入した足跡も残してはならない。

神野たちは、慎重に動いた。現状を変えないためにきちんと写真を撮ってから動かした。

「組長、これ見てください。取り引き先リストに『湾岸エンゼル・モーターズ』っていうのがありますよ」

後藤がパソコンの液晶画面を指さした。

「それって、なんだ？」

神野は訊き返した。咄嗟（とっさ）のことでよくわからない。

「トラックに追突したトレーラーの荷主ですよ。東名高速に五台ぐらい落下してしまった中古車販売会社ですよ」

佐々木が答えた。

「そうか。小暮というドライバーが運転していたほうだな」

「そうです」

「後藤、発注内容はわかるか？」

「車のスクラップです。『湾岸エンゼル・モーターズ』は年間に十台ほどの廃車を依頼していますね。下取り車の処分でしょう」

今度は後藤が答える。

何か怪しい臭いが漂う。神野はそう思った。保険金詐欺か？

トレーラーの『大松車両サービス』と荷主の『湾岸エンゼル・モーターズ』がここ『十文字実業』で繫がっている。

出来過ぎていないか？

「組長、こんなところに、小型金庫がありますぜ」

内川が壁際のスチール棚を開けていた。棚の中段にホテルや旅館のセーフティボックスほどの金庫が置かれていた。幅四十センチ、高さ三十センチほどのサイズだ。ダイヤル式のロックになっている。

「後藤！」

神野はすぐに声をかけた。

「今度はダイヤル式ときましたか。一番面倒くさいんですよ。ですが、まぁおおよそ見当は付きますよ」

後藤が金庫の前に進み、床に膝をついて、ダイヤルを回す。ゆっくり右や左に何度か回し、金庫の扉に耳を付けた。

「他人が開けることを想定していないロックナンバーですね。自分が忘れないようにしている」

「ドアのテンキーと同じ暗証番号ということか？」

「はい、その通りです。こっちは八桁。扉の四桁を繰り返しているだけです」

かちゃりと音が鳴り、扉が弾むように開いた。

札束がふたつ並んでいる。銀行の帯封が巻いてあるので、一束百万円であろう。

「金には手をつけるな」

「わかっています」

後藤が札束を脇に寄せながら金庫の中を探った。車の鍵がいくつも保管されていた。予備キーであろう。他に廃棄処理依頼書や金銭消費貸借契約書などが入った封筒が何通かあった。A４サイズの茶封筒だ。業務上の書類のようだ。重ねてある順番を崩さないように、内川が丁寧に一通ずつチェックしていく。

「おおっと『湾岸エンゼル・モーターズ』には、ずいぶん融資しているみたいですね。これその書類ですよ」

一通を神野の前で広げて見せた。

今年の四月に三千万円を融資している。借入者は『湾岸エンゼル・モーターズ』の代表取締役社長、斎藤勝也（さいとうかつや）とある。無担保で、返済期限は十年後だ。

「くれてやっているようなもんじゃねぇか」

「『湾岸エンゼル・モーターズ』は、今回の事故で、十台分の車の損害料金が『大松車両サービス』から入りますね。いったいいくらぐらいなんでしょうかね」

内川が言いながら、さっそく撮影している。

この会社も当たらねばなるまい。住所は幕張だ。

「なんか、写真みたいなもんも入ってますよ」

内川が普通サイズの封筒を取り出している。他の封筒がいずれも茶封筒なのに、この封筒だけは白色で、皺（しわ）や手垢（てあか）のようなものがいくつも付いていた。かなり年月が経っているようだ。

封筒の表に、インクで×印がつけてあるのが気になった。ボールペンではなく、青のインクだ。近頃では万年筆を使う者も少なくなっているので、やはり相当前からここに仕舞われていたのではないか。特に封印されているわけでもない。

封筒はぶ厚かった。

神野は受け取り開けてみた。

写真が二十枚ほど重ねてあった。若い男女の写真だった。ひとりの写真もあれば、ツーショット、スリーショットの写真もある。

大学生たちのようだ。キャンパスやクラブのようなところで、パーティをしている写真だ。髪型や服装がちょっと古い。

「これ、昔、六本木にあった『ファンファーレ』ってディスコじゃねえですか」

佐々木が、後ろから覗き込んできて言う。

「おぉ、この派手なムービングライト、俺もテレビの映像で見たことある。しかし、ササケン、ディスコって呼び方、懐かしいぜ」

内川が笑う。

「俺が生まれた町じゃ、いまでもディスコだ。クラブっていったら、中学や高校の部活のことだ」

佐々木は東北のそれもかなり山の中の出身だった。

「六本木の『ファンファーレ』って、十五年ぐらい前に閉店しちまったな」

「そうだと思います」

神野は中学生、内川たちは小学生の頃のことなので、ほとんど知らない。過去の映像を見て記憶しているだけだ。

「いちおう全部、撮っておけ」

役に立つのかどうかは、まったくわからない。ただ、ここの経営者である賀茂政蔵がなぜ、こんな写真を保管しているのか疑問だった。

賀茂は七十歳だ。ファンファーレ世代ではない。

「写真を撮り終えたら、すべて元の状態に戻せ。倉庫に行くぞ」

「はい」

佐々木がスチールデスクの上に合計二十四枚の写真を並べ、内川が次々に撮影する。後藤はパソコンに戻り、メールの通信記録をチェックしている。引っかかるものがあれば、これも撮影する。

十分ぐらいですべて終えた。

これが一か所に忍びこむ限界である。

すべて施錠しなおし、嵐の外に出た。真隣にある倉庫に向かう。シャッターが降りているが、その脇に錆(さ)びついた鉄扉があった。

シリンダーキーだ。後藤が訳もなく解錠した。

鉄扉が、鈍い音を立てて開く。

「ほう、産廃の粉砕まで引き受けているのか」

神野は眼を見張った。

倉庫の中央にコンクリートに鉄板を敷いた作業台があり、その脇に大型ハンマー、万能切断丸鋸(まるのこ)、卓上スライサー、クリッパー、バールなどの工具が並べられているのだ。

まさしく叩き台だ。

冷蔵庫や洗濯機、テレビなどの大型家電や鉄筋入りのコンクリートの柱、壁はここで叩いて粉砕するのだろう。鉄板の上には金属破片がいくつか散らばり、オイルの流れた痕のような染みがいくつか付着していた。

産業廃棄物の運搬だけではなく、最終処理場へ運び込む前の中間処理までを引き受けているのだろう。

どの工具も極道には見慣れたものだ。ただし使用目的はだいぶ違う。極道にとっては、いずれも工具ではなく武具だ。

それだけではない、倉庫の左隅には大型プレス機が設置され、その荷台にはシートを被った車が一台乗せられていた。上部から鉄の蓋が降りてきて、車両を押し潰すプレス機だ。ブルドーザーのスコップや鉄球を落とすよりも、美しく平らに出来る。

最終処理場に運ぶにはそのほうが容易（たやす）いわけだ。

「内川、ササケン、後藤、シートを上げてみろや」

「へいっ」

三人が車の端に走りシートを捲った。

「なんだこれは！」

現れた車体を一目見て、神野は唸り声を上げた。

なんと、そこに出現したのはフィアット・チンクエチェントの車体である。

「姐さんのポルシェの前にいたのと同型車ではないっすか」

内川も叫んだ。

神野たちはフィアットを点検した。

ナンバープレートやタイヤはもちろん、車内のシート、エアコン、エアバッグなどの装備品もすべて外されていた。車をスクラップするときの決まり事である。

「後藤、廃車リストはスマホに複写したか」

「もちろんです」

「このフィアットを探せ」

業者はスクラップした車の永久抹消登録と解体届を運輸支局に提出しなければならない。そこには車体番号と車両ナンバーが書き込まれるはずだ。

「はい」

後藤が猛烈な勢いでスマホをタップした。内川と佐々木は、フィアットのボンネットを開け、車体番号を探している。エンジンはとうに取り除かれているようだったが車体フレームのどこかに番号が張付けてあるはずだ。

「組長(おやっさん)、ありました。フィアット・チンクエチェント。色は鼠色。先週の入荷です。車体番号は……」

後藤が長い番号を読み上げた。

「おぉ、間違いないです。この車の番号です」

ボンネットの裏側を覗き込んでいた佐々木が答えた。

「スクラップを依頼したのはどこのどいつだ」

神野はせっついた。

「『湾岸エンゼル・モーターズ』となっています」

「なんだとぉ！」

神野は声を荒げた。

「組長、これは絵図が見えてきましたね」

後藤が頷(うなず)き、内川が話を受けた。

「つまりトラックにトレーラーをぶつけて、意図的に玉突き衝突を誘発させたってことですね。フィアットはだいぶ後方を走行していたタンクローリーの見張りです。タンクローリーがすぐに爆発していたら、そのまま見学していたんでしょうが、そうはならなかったので、発煙筒を仕掛けたってことではないでしょうか。大雨の中です。現場検証されても不審な証拠は流されてしまいます。上手く出来た筋書ですよ。それに、『湾岸エンゼル・モーターズ』が、オークション会場から運ばせた中古車は、『飛翔運輸』か『大松車両サービス』から保険金を貰えるので、一切損しないことになります」

まさにそういうことだ。

「火をつけた理由はいったいなんですか？」

佐々木が額に手を当てた。

神野はそのケツに蹴りを入れた。

「それはフィアットの前を走っていたメルセデスに決まっているだろうよ。どこかのお偉いさんが乗っていた……」

そういうことになる。

「なんだか全部、この『十文字実業』が絡んでますね」

後藤が撮影したさまざまな帳簿を再点検しながら言い、ふと指を止めた。

「妙なリストもありますよ」

「どんなリストだ？」

神野は後藤のスマホを覗き込んだ。氏名と携帯番号が並んでいる。後藤がスクロールした。ざっと三百名ほどのリストだ。

「これ半グレの強請りリストに似てますね。去年潰した『央道連合』なんかの詐欺班もこんなリストをもっていました。目的は同じかもしれませんね」

後藤が顔を顰めた。

それは闇バイトの募集に集まった連中のリストだった。

去年までは特殊詐欺の電話を掛ける係である『かけ子』や、金を受け取りに行く『受け子』に使うために集めていたが、今年に入って乱暴になった。

貴金属店や高級腕時計店に、ハンマーやバールを持って押し掛け強盗をさせる実行役に使っている。

フィアットから降りてきた女は、そんなひとりだったのかもしれない。

だとしたらリストの利用方法はある。

正規の警察では使えない手だ。非公開部門だからやれるのだ。いずれ使ってやる。

「内川、社長の賀茂政蔵を洗え。明日から集中管理だ。総動員でやれ」

集中管理とは神野組の専門用語で、ひとりの人物の行動を一日中見張ることをいう。家を出た瞬間から、戻るまでの丸一日の行動をすべて追う。それを一週間以上も続けると悪党なら必ずおかしな点や、弱点が見えてくるものだ。

組員や下部組織の半グレや、フロント企業の社員なども使い、リレーで見張る。

「はい」

内川が嬉々（きき）とした声をあげた。

ひょっとしたらこれは戦争になるかもしれない。まだ相手が見えないだけだ。

今夜はここまでで退（ひ）くことにした。

現場に侵入の痕跡を残さぬように確認し、神野たちはアルファードに戻った。暴風雨は相変わらずだ。

国道十六号線から東関東道へと引き返す。スマホを弄（いじ）っていた後藤が、ぽつりと言った。

「ネットニュースに、東名高速道路で事故にあった『北急物産』の常務と『日本商業銀行』の副頭取が死亡したと出ています」

フィアットの女は成功したということだ。

動機は何だ？　テロか？　権力闘争か？　それとも私怨か？

景子は何を見た？

神野の脳に様々な思いが浮かぶ。

嵐のせいか東関東道の上り車線には、車がほとんど走行していなかった。時おり見える先行車のテールランプが道標になっている。

その道標が雨にぼやけて見えた。

漠然とした獲物を追っている気分と似ていた。

3

いまは、いったい何時ごろなのだろう？

景子は痣だらけになった身体の上半身をどうにか起こし、窓の縁に手をかけた。動いただけで総身が痛み、悲鳴を上げそうになる。

傍らにフィアットに乗っていた男女が横たわっている。失神したままだ。

景子が滅多打ちにしてやったのだ。

ふたりによるバイブ責めは、延々と続けられた。時計がないので何時間という具体的な経過は不明だが、午後から真夜中まで膣を抉られ、乳首を舐めまわされ続けたことは確かだ。

雨が降っていても、日の陰っていく様子はわかる。

景子は、湧き上がる快感と掻痒感（そうようかん）の反復に、歯を食いしばり、窓の外の景色だけに意識を集中することで、脳に異常をきたすことを、どうにか回避していたのだ。

日が暮れるまでは早かった。

さんざん膣を抉られたが、長い格闘の末、どうにか撥（は）ね返したのだ。極道の女としての矜持（きょうじ）がそうさせた。

一般人とは根性が違うのだ。

へとへとになって眠りについたが、まだ動けずにいる男女の姿を眺め、景子は、ふと少し前までの格闘シーンを思い出した。

危なく殺されるところでもあった。

*

『名前は？』

女にそう聞かれた。

『私、アンジェリーナ』

そう答え、狂ったふりをして、大声を上げて笑って見せたが、そのつど男のほうがスマホを翳して景子の顔をアップで撮っていた。

すると女に連絡が入る。

『ヤクザの女に騙されるな。瞳孔が開きっぱなしになるまで、続けろ！』

そんな声が響いた。

『キング、こんなめんどくさいやり方をするより、クスリでおかしくしてしまった方がいいんじゃないですか』

女が苛立った声をあげる。普通そうする。

『薬物はどんなものでも、足が付く。そいつを本物の廃人にするんだ。記憶が飛んでしまうのが一番いいが、とりあえず認知障害を起こさせればいい。その女が何を言っても証拠とはされないようにな』

指示しているキングは、相当賢い。

そして恐ろしい。

景子を本気で廃人にしようとしているのだ。

女は、それを聞いて、再びバイブの回転数を上げて、責め立ててきた。

この連中に誤算があったとすれば、景子が過去に覚せい剤中毒の治療を受けていたことを知らなかったことだ。

ヤク抜きは地獄の修行のようなものだった。幻覚をいくつも見、恐怖と悪寒に苛まれ、のたうち回るのだ。

総身のあらゆるところを掻きむしりたくなるが、拘束バンドで固定され、それもままならない。

途方もない期間をそういう状態で過ごし、なんども自分は廃人になると思った。その経験が生きていたのだ。無意識のうちに脳と身体がそのことを覚えていて、気持ちのどこかに、いつか終わる、という希望が残っていたわけだ。

時おり、組の特攻隊長、内川朝陽の口癖を思い出すのも励みになった。

『拷問ほど疲れることはないっすよ。姐さん』

そういうことだ。相手も辛いのだ。

荒い息を吐き、太腿を痙攣させながらも、薄目を開けて女と男を見やると、どちらも、額から汗をだらだらと流し、焦りに眼は吊り上がっていた。

徐々に絶頂を迎える間隔が長くなった。淫核が麻痺しだしたのだ。

景子が抱える風俗嬢の中にも、ピンクロータープレイをし過ぎて、不感症気味の嬢は多い。

それと同じ症状のようだ。バイブの嘴でいくら刺激されても、すぐには昇かなくなった。

この際、一時的に不感症になるぐらいは許容範囲だ。

そもそもローターやバイブによる不感症は、心因性の症状とは異なり、オナニーを一か月もやめれば元に戻るものだ。

『さっさと狂っちまいなよ。そうしないと、私たちも、ここから出られないんだよ！』

夜更けの気配がしてきた頃、女がヒステリックに叫び、バイブを手放した。必死に腕を揉んでいる。痺れてしまったようだ。

男が変わるが、すでに手のひらのグリップが弱くなっている。こいつも相当疲れているのだ。

その頃になると、打たれた神経剤の効果も薄れ始めていた。景子は、昇天したふりをして、何度か暴れた。身体が結構、動き出した。

頃合いを見て、景子は女の腹に、膝蹴りを見舞った。不意を突かれた女は、のけ反り、腹を押さえて噎せた。

男が殴りかかってきた。手錠を付けられたまま、身を躱した。

どうやら男は人を殴った経験がないようだ。殴ることに躊躇いがあったのだ。己の拳の痛みすら知らないのだろう。

景子は、人を殴り慣れている。打ちどころを心得ていた。

男の鼻梁(びりょう)の脇に頭突きを見舞ってやる。衝撃に思わず男は声を上げて、飛び退(の)いた。弾みでバイブが抜けた。

『くそ女(アマ)、殺してやる！』

景子は般若の形相で女の頬を肩で打った。手錠をしたままだ。

格闘になった。弱いが、そこからは男も必死で体当たりや膝蹴りを繰り出してくる。喧嘩音痴の無手勝流(むてかつりゅう)だったが、手錠をされたままのふたりがかりには、さすがに景子も往生した。だが前手錠だったので、両手によるアッパーカットは、容易く繰り出せた。手錠という金具を付けている分、相手の顎や頬が切れ、血が滲(にじ)んでいた。

長い格闘になった。

男には金的蹴りも見舞ったが、あらかじめこうしたことを予期していたのか、セラミックのサポーターをつけていた。むしろ景子の膝頭のほうが痛んだ。

『こらぁ！　いつかお前の玉を袋から抜き出して、ハイヒールで踏みつぶしてやるからな』

眼を尖らせ、そう言い放つ。

素人相手には、出来るだけ具体的な恐怖心を持たせることだ。

的を片方に絞った。まずは男だ。女がどれほど殴りかかってきても、景子は徹底して男に迫った。

鼻に何度も頭突きを見舞う。

がつんがつんと鼻梁に打つと、ついに鼻梁が折れる音がした。

鮮血が吹きあがる。

男は悲鳴を上げた。

顔の中心を日の丸のように赤く染めた男が、大声をあげて泣き出した。顔を押さえて子供のように泣く。

「今に出血多量で、死ぬわよ。一生、鼻のない顔で暮らすよりマシだろ」

恐怖を煽り立ててやった。

男はさらに大声をあげて泣いた。

極道なら知っている。鼻梁など折れたぐらいでは死にもしなければ、三か月もすれば完治する。だが殴り合いをドラマの中でしか見たことのない一般人は、血が飛び散った、骨が折れたぐらいで大騒ぎする。

ちゃらい。この男、上手い具合に釣られた気の弱い学生かフリーターであろう。

ひとりは片付いた。

形勢が不利と知ったか、女が男のポケットからスマホを取り出し、自分のと一緒に窓外に放り投げた。指令している側の証拠を消し、同時に自分たちが敗れた後の景子の通信手段を消す行為だ。

あらかじめ、そう指示されていたのだろうが、この女のほうが、まだ修羅場を潜ってきた経験があるようだ。

「キングって誰よ？　スマホを捨てたって、いずれはわかるんだよ。あんたら何を企んでいたんだよ」

景子はずいと一歩前に出た。

手錠をしたままの手をだらりと下げたままだ。

「私だって知らないのよ。車を運ぶだけで金になるって騙されただけだよ。その男のことだって、全然知らない。言われた通りレンタカーを借りて、海老名のサービスエリアへ行ったら、こいつの乗っていたフィアットに移れって、キングから命令されたんだ。そしたら事故が起こってなにがなんだかわからないよ」

「発煙筒を、タンクローリーや前のベンツの下に入れたのは？」

「それもキングの命令さ。やらなきゃ、うちらの実家に火をつけるって」

闇バイトで、犯罪の実行犯を雇う典型的な手口だ。

「あんた名前は？」

さらに一歩詰め寄った。女は壁に背をつけた。

「それは言えないよ。あんたヤクザの関係者なんでしょう。言えるわけないじゃん。ってか、あんたを殺さなかったら、私らマジ、ここから出られないから、悪く思わないでよ。おばさんより、私のほうがまだ人生長いんだからさ。ごめんね」

女は右手を震わせていた。デニムのショートパンツのウエストに挿し込んであった小型ナイフを抜き出していた。

「っざけんなよ」

景子は手錠をしたままの両手を一気に振り上げた。渾身(こんしん)の力を振り絞り、女の顎を狙った。手錠の輪と鎖が女の顎を砕いた。

「うぎゃぁああ」

女の顔が歪(ゆが)み、頬がヒクついた。何かを言おうとしても口が動かず、そのまま壁に背をつけたまま、ずるずると落ちて行く。顎が外れた痛みは、地獄だという。尻をコンクリートにつけ、足を伸ばしたまま、喉だけで呻(うめ)き声を上げていた。

「少し、楽にしてやるよ」

景子は手錠を嵌(は)めたままだが、右腕を女の首に回した。

ぎゅうっと絞める。女が二、三度足をバタバタとさせた後、落ちた。死んではいない。気絶しただけだ。

それを泣きながら眺めていた男が、一段と甲高い声で喚(わめ)きだした。錯乱したようだ。

「うわぁあああああ。ばばあ、殺してやる！」

追い詰められた獣のような眼で、男が突進してきた。

景子は躱し、男のポロシャツの襟首を摑み、その顔を壁に叩きつけた。

「痛(い)てぇええええ、痛てぇええよぉ」

鼻だけではなく額にも血が滲み、男はさながらプロレスラーのヒール役のような顔になっていた。

「うるさいわね。クソガキが」

軽い脳震盪(のうしんとう)を起こしている男のチノパンのベルトを外し、引き下ろす。股布にカーブ状のセラミックサポーターを入れたトランクスも降ろした。

だらりとした陰茎と睾丸が現れる。

景子は睾丸を握った。卵でも潰す感じで、ぎゅっと握る。

「あうっ！」

男は眼を大きく見開き、涎を垂らしながら頽れた。

女のトートバッグを探ると手錠の鍵が見つかった。口に咥え、どうにか手錠を外す。そこで景子の方も体力を使い切り、そのまま眠ってしまったのだ。

＊

どうにか切り抜けたが、まだ脱出出来るほどに体力は回復していなかった。窓枠に手を掛け、やっとの思いで立ち上がり、ここに連れ込まれて以来、初めて窓の下を覗いた。

ぞっとした。

ここは解体準備をしている高層ビルだ。

二十数階建てというところだろうか。ビルの中ほどまでは、すでにフェンスに覆われており、足場も組まれている。

地上の駐車スペースには、ブルドーザー三台、トラック五台が駐まっているのが見えた。

内装から解体していくはずだが、一体どこまで進んでいるのだろう？

上方も見上げた。屋上だった。ここが最上階ということだ。

部屋には剝き出しの蛍光灯が点灯している。とりあえず電気はまだ通っている。

遠くに街の明かりが見えた。その手前には大きな闇が横たわっている。

運河か？

はっきりしない。

いきなりモーター音が聞こえてきた。

エレベーターが上がってくる音だ。景子は、床に転がっていたナイフを拾い、エレベータードアの脇の壁に身を寄せた。

エレベータードアの上にあったはずの階数表示や動きを知らせるランプは破壊されていたので、景子は壁に耳を付け、エレベーターが上がってくる気配を懸命に探った。

――来た。

そう察した瞬間にドアが開いた。心構えは出来ていた。

エレベーターから、黒ダイバースーツにピエロのマスクを被った男が三人、飛び出してきた。手にはバールを持っている。高級貴金属店を襲う強盗団のような出で立ちだ。ピエロたちは、景子には気づかず、壁際に倒れている男と女に向かっている。

先頭のピエロがすぐにスマホを翳して、ふたりの顔を写していた。

『違うが、そいつらもやっちまえ！』

スマホからキングらしき男の声がした。

「はいっ」

ピエロが男に向かってバールを振り上げた。死の気配を感じたのか、男が目をあけ、身体を回転させた。声は出ていなかったが、唸り声が聞こえた。顔面が血だらけになった男の、唸り声は手負いの獣のようで不気味だ。

ピエロも後退した。

――こいつらも素人だ。

そう直感し、景子はナイフを両手で握り、一番背後にいた男に突進した。狙いは尻だ。肉が柔らかく一番刺さりやすい。

グサッと刺した。刃渡り十センチほどのナイフでしかないが、右の尻山に、その全長が挿し込まれた。

「うっ?」

背後のピエロは、一瞬、何が起こったのか察知しきれず、間抜けな声を上げた。

景子はそのまま、ナイフで尻を切り裂いた。柄に両手を添え、押すように下げた。

尻から太腿にかけて斬る。ワンテンポ遅れて、激痛が走ったようだ。

「うわぁあああああ」

ピエロが絶叫した。

その瞬間にナイフを引き抜いてやる。血と脂(あぶら)で光ったナイフを、振り返ったピエロたちの前で構えた。

「あぁあああああ」

尻を刺されたピエロは、立っていられず、傷口を押さえながら床に片膝を突いた。

その顔面に蹴りを入れ、マスクを吹っ飛ばす。あどけない顔が現れた。まだ十代だろう。ホストにしたらそこそこ売れそうな顔立ちだった。

「バールできなよ。その代わり、確実に刺し違えてやるよ」

他のふたりに景子は啖呵(たんか)を切った。気合が入り、ま×こもびっしょり濡(ぬ)れる。修羅場は快感だ。暴力が好きで好きでたまらない。

「ふたり一緒に、かかってきなよ。だけど一発で仕留めない限り、ふたりとも死ぬよ。私は、失敗しないから」

言いながら目に力を込めた。

ピエロふたりが、微かに震え始めている。

「話が違う。こんな狂った女だなんて聞いていない」

右のピエロが言った。これも若い声だった。

景子は床を蹴った。右のピエロのバールを握った腕にナイフを見舞った。

「ぐふっ」

バールが宙に飛ぶ。景子はあえて前かがみになり、左のピエロに向かった。

「なにしやがる、ばばあ」

左のピエロが、案の定バールを振り上げた。景子の頭を狙おうとしている。前面ががら空きだった。景子は潜り込むようにして進み、バールが振り下ろされる前に、男の内腿にナイフを刺した。ここは痛い。

「あううううう」

バールが景子の背中に緩く落ちた。すぐに撥ねのける。

「話が違いすぎる。金なんて要らねぇ」

先頭のピエロがエレベーターのドアを開け、飛び込んだ。ふたりもすぐに転がり込んだ。

「待ちなさいよ」

景子も乗り込もうとしたが、腕を斬られたピエロが、ドアの前で猛烈なキックを打ち込んできた。生ま×こに編み上げブーツの尖端が激突した。脳まで痺れるほどの痛みが走る。

「あうぅっ」

景子は股間を押さえ、その場に両膝を突いた。エレベータードアが閉まり、ケージが下がっていく音がした。

「くそっ」

二度とエレベータードアは開かないような気がする。

このままビルの解体と共に屠(ほふ)られるのではないか。その可能性は十分ある。景子は、窓を開けた。

土砂降りの雨の中に顔を出し、血を洗い流した。ついでに雨水を飲む。なによりも体力の回復が必要だった。

——エネルギーさえ戻れば、なんとかなる。

そう自分に言いきかせた。

第四章　スーパー・キング

1

朝になってようやく雨がやみ、テレビが昼のニュースを流していた。キャスターが、いよいよ衆議院の解散間近だと、妙に弾んだ声で言っている。その隣に立つ政治部記者が、民自党は過半数を割るのではないかと、予測を立てていた。フリップに全国の選挙区における民自党の情勢を丸や三角で示しているあたりは、まるで競馬の予想だ。

政権交代、関東舞闘会の立ち位置にも影響するので、関心がないわけではないが、いまは、それどころではない。

神野は組長室で『湾岸エンゼル・モーターズ』の情報をチェックしていた。午前中のうちに後藤が、ネットや千葉の傘下団体からさまざまな情報を集めていた。

代表の斎藤勝也は四十六歳。元は私立高校教師だ。

三十歳の時に幕張に『湾岸エンゼル・モーターズ』を開業している。元々実家が同じ場所で板金塗装店を営んでいたのを継ぎ、中古車販売業に転業させたのだ。

この地区の開発が進み、住民が急増したことで、修理工場よりも中古車販売業のほうが儲かると踏んだようだ。

仕入れは、もっぱらオークションでの競り落とし、高級車や貴重車には目もくれず、小型大衆車ばかりを買い付けていたようだ。

これは中堅企業のサラリーマンや公務員といった郊外に住む、いわゆる中流層に的を絞った仕入れで、堅実な経営と言える。

警察関係者の顧客も多いようだ。地味を旨とする警察官や警察職員は、目立たないセダンや小型車を好む。それも三年落ち程度の中古を求めることが多い。

下取りや廃車の請負も行っており、廃車はほとんど『十文字実業』に引き取らせていた。

見た目には、実にまともな会社だが、まともすぎるのが気に入らなかった。警察官とも懇意な会社が、なぜ事故の仕掛けに協力する？

神野たち極道は、物事を性善説でとらえることを決してしない。それが一般人との違いだ。

人は必ず悪行を働く。その前提に立って対象を見るのだ。

警察官や公務員の顧客が多いのが、あんがい裏仕事につながっているのではないか。極道的にはそう見る。

地味な小型車ばかりを仕入れていた斎藤が、なぜフィアット・チンクエチェントという小洒落た車を入荷したのか？

胸底にそうした疑問も湧いてくる。

ホームページには売り出し中の車と共に、従業員の集合写真もあった。神野はそのプリントアウトを手にとった。

社長の斎藤を中心に、いずれも二十代と思しき、若い男女が五人が並んでいる。

男が三人、女がふたりだ。

斎藤は、小太りでごく普通の中年男に見えるが、従業員たちは、やけに見栄えのいい男女ではないか。

神野は直感的にそう思った。

男性社員は紺色や茶色の地味な営業用のスーツを来ているが、その顔はホスト張りの端正なつくりの者ばかりなのだ。

そして女性社員のふたりも、着ている服こそ黒のパンツスーツだが、どちらも彫りが深い顔立ちで、美貌の持ち主といえた。スタイルもいい。

奇妙な感じがした。

しかも個人店にしては、従業員が五人とは多くないか？

組長室の扉がノックされた。

「里香です。お手伝いに来ております。うちの人に言われてコーヒーをお持ちしました」

扉の向こうからブルーマウンテンのストレートコーヒーの香ばしい匂いが漂ってくる。佐々木のことをうちの人と呼んでいる。昨夜、『十文字実業』のガサ入れから戻って、ふたりはやったに違いない。

「おうっ。入っていいぞ」

扉が開き、Tシャツとブルージーンズに濃紺のエプロンを付けた里香が入ってきた。ノーメイクだが、顔色はよい。やはり昨日、佐々木と腰が抜けるほどやったのだ。

「ここに置きます」

応接セットのローテーブルの上にコーヒーカップを置いた里香が、神野が手にしている集合写真のプリントを見て『あらっ、カレン？』と、呟いた。

「おいっ、知っている奴が写っているのか？」

神野は慌てて、里香の方へプリントを向けた。里香が眼を見開き、プリントに顔を近づけた。

「はい、この女、やっぱりカレンです。私と同じ上野のデリヘルにいました。いや、カレンていうのは店での名前ですが」

と右端に立っている女を指差した。トヨタのヴィッツの比較的新しいモデルの前に立っている。

「里香も上野にいたのか？」

意外だった。てっきり歌舞伎町で働いていた者だとばかり思っていた。

「はい、実家は八王子で、遊び歩く場所は歌舞伎町でしたが、風俗の仕事は、あまり縁のない上野でやっていました。カレンと一緒だったのは去年の夏ごろのことですけど」

「この写真は、千葉の幕張の中古車センターだ。なんか聞いていないか？」

神野は訊いた。手掛かりになるものなら、なんでも欲しかった。

「うーん。同業者同士というのは、嘘しかいい合わないんですけど、カレンはいちおう八千代市の出身だって言ってましたね」

千葉だ。幕張、国道十六号線、八千代市と繋がってくる。

「年齢は？」

「去年の時点で、私と同じ二十歳で営業していましたが絶対嘘ですよ。二十五はいっていると思います。六十過ぎのお客さんは見破れないみたいですが、年下からみたら一目瞭然です」

そういうものかもしれないと、神野は心の奥で笑った。

「どんな女だった？　っていうか店での性格付けを教えてくれ」

「一口に言うと、イケイケですよ。私はロリで売ってましたけど、カレンはセレブの欲求不満女を演じていました。それが似合っていましたよ。実際は六本木や渋谷のクラブに入り浸って、本物のセレブ男を捕まえようとしていたみたいですけどね。見栄を張るお金を稼ぐために、風俗していたみたいです。待機部屋でそんな話をしていました」

「そんな女が、なんで幕張の中古車販売会社に勤めているんだ？」

神野は自問するように呟いた。

「枕営業では。というかそれしか思い浮かばないんですが」

里香の反応はシンプルだった。

神野は改めて社長の斎藤を中心に並ぶ、集合写真を凝視した。里香の言う通りだとすると、最初にこの写真を見たときの美男美女過ぎるという違和感が、一気に氷解する。

「車を売るのに、枕営業とはな……参考にするよ。ところで内川は？」

「朝一番で、千葉の方へ出掛けたそうです」

すでに『十文字実業』の賀茂政蔵の集中管理に入ったようだ。住処（すみか）や家族、交遊関係が次第に明らかになるはずだ。

里香は会釈して出て行った。

枕営業には納得もするが、腑（ふ）に落ちない点もある。そもそも利益率の低い大衆中古車の販売で枕営業までする必要があるのか？

――ある。

ひょっとしたら、と思うことがあった。

――この女を叩（たた）いてみるか。

神野はドリップしたばかりのブルーマウンテンを飲んだ。

景子の落としたブルマンよりもやや熱く、コクがなかった。

同じ豆を電動ミルで挽き、お湯を注いでいても、味は違うものだ。とくに湯の注ぎ足しが早いと、粉にしっかり染みいる前に、サーバーに落ちてしまう。

神野は、かつて黒井健人の付き人をしていた時代に、それをうるさく言われた。沸騰したばかりの湯を、じっくり入れろと。景子もそれに倣っていた。早く帰ってもらわないと、コーヒー一杯すら満足に飲めない。

スマホを手にし佐々木を呼び出した。

「おいっ、年代物の希少車を一台、持ってこい。三十分以内だ」

「はい！」

佐々木が威勢の良い声を返してくる。

コーヒーを飲みながら待つことにした。

テレビのニュースは、総理官邸前からの中継に切り替わっていた。現場にいる政治部の女性記者が、官邸の雰囲気を伝えている。

東洋テレビだ。

「官邸への与党幹部の出入りが増えています。さきほど、民自党の渡辺幹事長と萩原政調会長があわただしく入っていきましたが、ただいま公正党の町田国会対策委員長も総理と面会に向かうために入っていきました。解散についての話し合いと思われます」

女性記者は、灰色のレインコート姿だ。セミロングの黒髪には少しウエーブが掛かっている。くっきりとした眼が印象的な女だった。

『報道部　沢尻香織』

とテロップがでた。アナウンサーではなく、あくまで記者なので、地味なコートと薄い化粧で映っていたが、華のある顔立ちだった。あえて、そのオーラを消して喋っているようにも見える。

——どこかで見た顔だ。

神野は奇妙な既視感にとらわれた。テレビ局の記者なのだから、前にも見たことがあっても不思議ではない。

だが、それとは違い、もっと直近に見た顔のような気がするのだ。気になってしようがない。画面を見ながら思い出そうとした。いろんな女の顔が浮かぶ。だが違う。そっくり同じ顔というわけではない。どこか印象が似ている女を見た気がするのだ。

フィアットの女ではない。傘下の夜職の女でもない。総長を取り巻く女たちの顔でもない。実際はこの記者よりも、遥かに若いような気もした。

脳の中をさまざまな顔が浮かんでは消えたが、結局は出てこなかった。

三十分と経たずに、佐々木から電話が入った。

「トヨタのオリジンが担保流れで入っています。二十三年前に千台だけ生産された限定車です。色はブルーマイカです。四谷の街金が押さえている車ですが、区役所通りの駐車場に入っているっていいますから、すぐ出せるそうです」

――ブルーマイカか。

と、神野は一瞬躊躇した。

オリジンは黒か濃紺のほうが価値があるのだが、まぁ今後はどう変化するかわからない。

「よっしゃ、すぐに持ってこさせろ。俺がちょっと乗ってくる」

「へい。十分待ってください」

電話を終え、神野は三階の寝室に上がった。出掛ける支度だ。景子がいないので、服を探すのも自分でやらねばならない。

こればかりは、極道一筋の手下たちには、わからない勘所というものがある。

クローゼットから極道には見えない、ごく普通のジャケットを探した。濃紺のジャケットにチェックのボタンダウンシャツを選んだ。これにグレンチェックのパンツを穿く。極道にあるまじきアイビースタイルだ。

仕上げにいつものパナマ帽は被る。パナマ帽だけは手放せない。

2

『十文字実業』のヤードの周りは殺風景な野原が続いていた。内川は最初、往生した。人気がないのは幸いだが、平原過ぎて定点監視をするための隠れる場所がないのだ。

しかたなく、『十文字実業』と道路を隔てた野原のまん中に建つ、掘っ立て小屋の中に隠れた。

午前七時のことだ。

ヤードの中はまだ静まり返っていた。

小屋の裏側にカーキ色のハーレー・ダビッドソンのファットボーイ114を駐めてある。見た目はノーマルだが、いくつか改造してある戦闘用のハーレーだ。

二十倍率の軍用双眼鏡で、約二百メートル離れた金網のフェンスの向こうを見張った。双眼鏡には中の様子がくっきりと見えた。駐めてあるトラックの間を走り抜ける猫の目の動きもわかるほどの鮮明さだ。

午前八時。

賀茂政蔵と思しき白髪の男が、濃紺のダイハツミラージュで出勤してきた。ずいぶん古い型の軽自動車だが、手入れはゆきとどいているようだった。

賀茂が降りてきて、自分で鉄扉を開けた。

賀茂はアロハシャツを着ていた。

サーフボードと椰子の木をあしらったアロハだ。それにブルージーンズ。痩せた小洒落た老人に見える。

だがさらにズームアップして見ると、胸板は厚く腕は太かった。痩せているのではなく、引き締まっているのだ。

八時三十分頃から、乗用車が次々にやってくる。従業員たちのようだ。いずれも軽自動車だった。

オフィスの正面には大きな窓ガラスがついているので、中の様子は丸見えだ。

賀茂はパソコンを操作していたが、特に訝し気な顔をしているわけでもない。昨夜の侵入については、気づかれていないようだ。

従業員たちはオフィスではなく工場へ入っていく。

その工場のシャッターが威勢よく上がった。

大柄な男たちが、作業台の大型冷蔵庫や洗濯機のパーツの取り外しを始めていた。

これらの製品も車両同様、プレスをする前に、コンプレッサーやモーター類は外すようだ。

ほとんどの社員が黒のTシャツとジーンズだ。みんな黙々と作業をしていた。

いずれも体格がよく、髭面（ひげづら）の男たちだった。

一時間ほどで賀茂が工場のほうへ回ってきて、従業員たちに何ごとか指示した。

するとひとりが部屋の端に向かい、フィアットのシートを外し、プレス機のスイッチを入れた。

上部からコンクリートの錘（おもり）がゆっくり下降してきて、ルーフから潰していく。

すでにフレームとカバーだけになっているフィアットは、あっさり潰れていくが、それでも塗装やアルミカバーの粉塵（ふんじん）が舞っていた。

三十秒ほどでフィアットは平らになった。

別な従業員がフォークリフトで底板ごと運び出し、駐車場にいる大型ダンプカーの荷台に放り込んだ。イタリアを代表するお洒落小型車も、いまやただの鉄くずだった。

その後、従業員のひとりがトラックに乗り込み出て行き、じきに電化製品やトラクター、それに内川にはよくわからない工業製品をいくつも積んで戻ってきた。大小さまざまな機械類だ。

荷はすぐに工場へと運び込まれた。

また賀茂がオフィスから出てきて、工業製品を自分でより分け始めた。さらに機械類を電動ドライバーやバーナーを使い、分解し出している。分別の基準でもあるのか、よくわからないが、主に鉄の筒を取り外しているようだった。

正午を回るとデリバリーのスクーターがやって来た。弁当のようだ。従業員のひとりが受け取り、他のメンバーが工場の前にアウトドア用の簡易テーブルとステンレスチェアを並べた。

六人掛けである。

マッチョな髭面の男がオフィスからポットと紙コップの筒を運んできて、飲み物を注いだ。一同は笑顔で弁当を食べ始め、賀茂を中心に和気あいあいと語り合っている。

内川は奇妙な既視感を覚えた。

似ているのだ。

神野組の雰囲気に。

日頃は、暴力を武器として縄張りの治安と秩序を守っているのだが、組員同士の食事や団欒（だんらん）はあんな感じなのだ。

ひとりが傍らにあった細い鉄のポールを手に取り、肩に乗せ掘っ立て小屋のほうに、尖端（せんたん）を向けた。

内川は焦った。あわてて小屋の窓から身を沈め、数秒経ってからまた覗いた。今度は鉄のポールの尖端を空に向けている。その格好は、ライフルかマシンガンを打つ姿に似ていた。

——野戦基地かよ。

映画で見るようなゲリラの基地に似ていると感じた。

戦車ではなくトラック。マシンガンではなく鉄のポール。その違いはあるが、男たちが醸し出す空気が、中東のゲリラのそれと似ているのだ。

内川は、その様子をスマホで撮影した。

彼らはやはり自分たち極道と似た体質を持っている。そう思った。

一時間ほどで休憩時間は終わり、男たちはテーブルを片付け、再び作業台にむかった。

どういうわけか、午後になると工場のシャッターは降りてしまった。オフィスには賀茂がひとりだ。パソコンに向かっていたり、スマホで話したりしている。途中で缶コーヒーを飲んだりで、どこにでもいる工場経営者のようだ。

その賀茂が動き出したのは午後二時のことだ。

オフィスから出てきて、クレーン付きの大型トラックの助手席に乗り込んだ。三菱（みつびし）キャンター。運転席は、ランチのときに射撃のポーズをしていたマッチョな男だ。エンジンを掛けたようでトラックの車体が揺れた。

内川はすぐさま、そのトラックをスマホに収め、国道十六号線の上下線各所で待機している神野組特攻隊のメンバーに報（しら）せた。ナンバーもきっちり取れている。

隊員五人は、大型バイク、ビッグスクーター、セダン、ＳＵＶ、ミニバンとタイプの違う車に分かれて待機している。尾行をしやすくするためだ。

内川もコルクヘルメットを被った。風防グラスも装着する。メットにはインカムがセットされている。

「おらぁ、マトが出たぞ。しっかりマークしろ」

ゲートから出てきた三菱キャンターは、十六号線へと向かっている。内川もファットボーイに飛び乗り、エンジンをかけた。

「アニキ、いま右折してきました。千葉北インター方向です。追います」

内川と同じハーレー・ダビッドソンに乗る田村の声がイヤモニに飛び込んでくる。田村の方はタイプの違うナイトスターだ。ファットボーイよりもヴィンテージ感があるタイプだ。色はビビッドブラック。

タイプは違えどハーレー同士にしたのは、傍目には愛好者同士のツーリングに見えるからだ。まさか極道や暴走族には見えない。

十中八九、東関東道に上がると見た。

「おぉ、残りのメンバーも続け。インターに入ったら囲め」

そう叫ぶと、各メンバーから威勢の良い返事がはいった。逆に進行した場合に備えて反対車線で待機していたビッグスクーターとセダンもすぐにUターン可能のようだった。

内川も十六号線に入る。三菱キャンターと、それを追う黒のナイトスターの背中が見えたので、内川はあえて減速した。

すぐにシルバーのエルグランドとグリーンメタリックのフォード・エクスプローラーが内川を追い越していく。いずれも特攻隊の車だ。

案の定、賀茂を乗せた三菱キャンターは、千葉北インターを上がり、東京方面へと向かった。

バックミラーにホンダのシルバーウイングと日産のスカイラインが、追い上げてくるのが見えた。これで全車そろった。

東関道に入ってからは、三菱キャンターは左側車線を八十キロから百キロぐらいで走行していた。荷台にクレーンを積んでいるので、極力安全運転に努めているようだ。内川と田村のハーレー二台は、最後尾を走行し、全体の流れを見守った。逆に尾行しにくい。

内川の特攻隊チームは、中央車線と左側車線を適度に入れ替わり賀茂のトラックの周囲をキープしていた。

時おり、スカイラインが賀茂の前に出る。あえて速度を落として、中央車線に出るように誘いこんでみるが乗ってこない。三菱キャンターはずっと左をキープをしたままだ。背後には主にエルグランドが付いた。

幕張インターを越える。そのあたりからトヨタパッソが、三菱キャンターとエルグランドの間に割り込んでくる。パッソはやたら低速で走っていた。キャンターとの車間が開くので、エルグランドは中央車線に出ると、パッソはいきなり速度を上げて、前との距離を詰めた。

習志野の料金所を越えた頃には、フォード・エクスプローラーやスカイラインの前後にも、似たような小型車が割り込んでいる。

小型車は速度調整をし、賀茂の車からこちら側の三台の車両を切り離そうとしているように見えた。

尾行がバレているのか？　それは思い過ごしか？

内川は、逡巡した。

だが不意に、彼らがランチをしていた時の光景が、脳裏を過ぎった。野戦基地でひとときの休息をとる戦士たちのような雰囲気――奴らは、戦闘のプロなのかもしれない。そうだとすれば、こんな単純な追跡フォーメーションは見破っているだろう。

内川はヘッドセットのマイクに向かった。

『俺と田村以外の車両は、先に行け。市川のパーキングエリアで、連絡を待て』

そう指示を出した。上り線の市川パーキングエリアは高速道路の下側にあるので、待機しているのを発見されづらい。

全員から返事があり、エルグランド、スカイライン、フォード・エクスプローラー、ホンダ・シルバーウイングが、ばらばらに三菱キャンターから離れて行った。

「田村、並んで走るぞ」

「はいっ」

ハーレー二台だけで、付かず離れず追尾することにした。三菱キャンターの周りにいた小型車のナンバーはすべて記憶し、ヘッドセットを通じフォード・エクスプローラーの助手席にいる隊員に伝えた。組の弁護士からナンバー照会させるのだ。

市川料金所を越え、賀茂のトラックは首都高に突入した。小型車たちも続いている。

料金所を通過した内川は、待機中の部下たちに命じた。

「ばらばらに出てこい。俺たちのバイクを抜かないように、後方からゆっくりやってこい。位置はこっちから報せる」

何かのはずみで、賀茂たちとバトルになった時のために、部下は背後に隠しておく。

荒川を越えると、眼前に急に高層ビルの群れが迫って来た。

三菱キャンターは新木場（しんきば）インターで降りた。小型車はそのまま直進していく。追尾している車はいないと踏んだようだ。

「田村、俺が先に行く。お前は百メートル後方に付け」

「了解っす」

田村の甲高い声が響いた。

一般道に降りた三菱キャンターは、有明に向かっていた。内川は出来るだけ、マトのトラックのルームミラーやサイドミラーに入り込まないような位置につけ、追跡を続けた。

国道三五七号線は吹き付ける潮風と大型車が吐き出す煤煙の悪臭がきつい道路だった。

しばらくすると、相手はスローダウンした。豊洲だ。運河沿いの高層ビル群の一角に入っていく。さらに進むと工事用フェンスに覆われたビルが見えてくる。そのほうが怪しまれない。内川は、あえてキャンターを追い抜き、そのビルの前を先に通過した。

『解体工事表示』。フェンスに看板が付いていた。その下に事業者の社名や許可番号などが書かれているが、そこまでは見えない。

賀茂の乗る三菱キャンターはそこで停車した。フェンスの門が開き、中に入っていく。

午後三時十五分のことだ。

内川は解体ビルから、三百メートルほど離れたコンビニの駐車場にファットボーイを停車させた。

他の全車に、最寄りのパーキングに入って待機するように伝え、内川自身はコンビニに入っていく。ネームプレートに店長の肩書がある男を見つけた。

「すみませんが、ちょっとの間、あいつを止めさせてくれませんか」

言いながら一万円札を差し出した。店長はあっさり頷(うなず)いた。メットと風防グラスをリアボックスに入れ、代わりにブルーのパーカーを取り出し、カーキ色のTシャツの上に着こんだ。

コンビニのガラスに映る自分は、だいぶ印象が違って見える。

その恰好(かっこう)で、賀茂が入っていった解体ビルへとむかう。歩きのほうが偵察しやすいということもある。

ビルは西に傾きつつある太陽に照らされ、オレンジ色に染まっていた。

3

同じころ。

神野は千葉県幕張インター近くにある『湾岸エンゼル・モーターズ』の前に到着していた。

高層ビル街のはずれにある一角だった。

ホームページに掲載されていた店の印象よりも、遥かに小さな店舗である。

平屋の店舗の前には、十五台ほどの小型車しか並んでいなかった。フロントウィンドウの内側に置かれている価格表を見ると高年式車が多く、本体価格五十万円前後の小型車ばかりだ。

『大安売り』と書かれた緑色の幟(のぼり)が三本、浜風に揺れているが、物寂しい感じでしかない。

やはりこの規模の販売店で、従業員五人は多すぎる。

店舗を覗くと女性従業員がひとりスマホで話していた。他に人は見当たらない。

ホームページの集合写真に写っていた女性のひとりに間違いない。

カレンだ。

就活中の女子大生のような黒のビジネススーツ姿だが、それが不釣り合いなほど、濃いメイクをしていた。

神野は二〇〇〇年型のトヨタ・オリジンを駐車スペースに滑り込ませ、並べてある小型車を一台ずつ眺めることにした。

興味深そうに、運転席側のサイドウインドウからダッシュボード全体を覗いたり、タイヤの山がどのぐらい残っているか確認したりしていた。

「あのどのようなお車をお探しですか？」

電話を終えたカレンが、歩み寄ってきた。満面に営業用の笑顔を浮かべている。

「百万円程度の小型車だ。形や色はこだわらない」

神野はぶっきらぼうに伝えた。

「お客様がお乗りになるのですか？」

カレンは駐めてあるオリジンをチラ見しながら、言っている。さぞかし不釣り合いだと思っているのだろう。

「いや、末の弟の就職祝いだよ。木更津に住んでいるんだが、袖ケ浦のゴルフ場に勤めることになったので、車で通勤するっていうんでね。中古車の一台も買ってやろうかと」

「まぁ、そうなんですね。ここに置いてある以外にも、ご提案できる車は沢山あります。細かな条件はありますか」

カレンの顔が一段と明るくなった。

「もう少し、新しい車はないかね。せいぜい三年落ちとか。形や色はなんでもいいんだ」

「三年落ちで、百万円前後ですとトヨタ・パッソなどが良いですね。お待ちくださいい、ちょっと在庫を調べてきます」

カレンは踵(きびす)を返してオフィスへ向かうと、パソコンのキーボードを叩き始めた。途中、何度も駐車スペースのオリジンを見やっていた。

他の車を眺めながら待っていると、五分ほどで、プリントアウトを何枚か持って戻ってきた。

「どうでしょう。在庫リストの中から探してきました」

持ってきたプリントの中から、三枚渡される。どれもハッチバックの小型車で、妥当な価格だった。在庫というよりも、業者用オークションのリストにあった車を、自社の社名入りプリント用紙で出力しただけだろう。いずれも条件を満たしていた。

「なるほど。弟にどれがいいか聞いてみるよ。俺は、普通の車にあまり興味がないからね」

「ぜひ、私にご連絡ください」

カレンが名刺を差し出してきた。カレンではなく山本千恵子とある。

「そうするよ」

神野は、パナマ帽の庇を上げて、ゆっくりとブルーマイカのオリジンに向かった。千恵子が見送るように付いてくる。柑橘系の香水の匂いがした。

「珍しいお車にお乗りですね」

「まあね。普通の車が好きになれないんでね」

ドアに手をかけながら言う。

「トヨタのオリジン。二〇〇〇年に千台しか生産されていない希少車ですわね」

「よく知っているな」

「はい、トヨタが販売一億台を突破した記念に生産した車ですわ」

「その通りだ。ブルーマイカではなく、ブラックが欲しかったが、なかなか見つからなくてね」

「私に探させてくれませんか？　それと、こうした車にはご興味ありませんか？」

千恵子が手にしていた別のプリントを差し出してきた。

「ほう。一九七二年のメルセデス２８０ＳＥクーペじゃないか」

価格は千二百万円とある。

神野の勘は当たった。

「はい、レトロ感たっぷりですね。オールドベンツファンに人気があります」

「ここはヴィンテージも取り扱っているのか？」

「はい、展示はしておりませんが、ご興味のありそうなお客様にだけ、カタログをお見せしています。場合によっては一九二〇年代のフォードなどが入荷することもございます」

千恵子が媚びた笑顔を見せた。

「そいつは驚きだ」

神野は大げさに額を叩いて見せた。

これはアンティーク家具や画廊と同じビジネスだ。価格はあってないようなものなのだ。しかも近年の旧車ブームで価格は高騰している。

ヴィンテージマニアだけではなく、投資目的で購入している。一般の中古車販売とは利幅が全く違う。

「お客様、なにか探している車はございますか？」

「一九二〇年代のフォードなんてのは博物館で見るような車だ。俺は実用派でね。六〇年代のハネベンとかは乗ってみたいものだ」

ハネベンとは、テール部分が鳥の羽のようなデザインのベンツの総称だ。正確にはフィンテールと呼ばれている。

「お客様、パナマ帽がよくお似合いですから、ハネベンのコンパーチブルなどがいいと思いますよ」

いいところを突いてくる。乗りたい車だ。

「それは最高だろうよ。いくらぐらいならある？」

神野は餌を巻いた。

「車両価格で二千万円前後。当社が完全にレストアしまして、二千五百万ぐらいならば、見つけられると思います」

軽く一千万円ほど高く吹っ掛けられた。

実は神野組の系列である金融会社でも、アンティーク家具や絵画、骨とう品同様、希少車も担保として扱っている。

市場に出回らない希少車ほど、闇の中で売買されることが多い。絵画と同じだ。

だが、六〇年代のハネベンのコンバーチブルはせいぜい千五百万で手に入る。当時の日本では希少車であったが、欧米では大量に走っていた車だからだ。

海外の業者に当たれば、仕入れ値はかなり安くなる。

――価格のはっきりしない商品を歩合給で請け負っている。

そうだとすれば枕営業という行為もリアリティが増す。客には、値上がりしそうな車だと吹聴するに違いない。

ふと昨夜侵入した『十文字実業』の工場のことも思いだした。

――部品はレプリカをあそこで作っている。

充分考えられることだ。

とすると、ヴィンテージカーと言っても、中身は正規品ではない偽物なのだ。上手い商売をしてやがる。うちらもやるか。

そう思ったが、いまは、そんなことはどうでもよかった。この女を攫うことが目的だ。

「よかったら、どこかで商談でもしないか。三千万までなら、キャッシュで用意できる」

千恵子の全身をねめつけるような眼で見た。

「間もなく、他の従業員が戻ってきます。そうしたら出掛けられますので。ちょっとだけお待ちいただけますか」

千恵子は、体をくっつけるようにして言ってきた。

じきに三台の小型車が戻ってきた。販売している車のようだった。運転席から降りてきたのは、イケメンの男たちだった。

富裕層の女狙いか？

そう考えると、すべてが腑に落ちた。

ホスクラやキャバクラで高額ボトルを入れさせるよりも、高額車を販売した方が、歩合は大きい。

――そういうことか。

やつらは風俗嬢とホスト上がりの営業マンたちだ。元の顧客を中心に売りつけているに違いない。

4

「あんっ、抜かないでください！」

千恵子は必死に抱きついてきた。

西船橋のラブホテルだ。

「きっちり昇きたいなら、知っていることをすべて喋ってもらおうか」

神野は天狗の鼻のように硬直した男根を、一気に引き抜き、いきなり切り出した。

とろ蜜に塗れた濃紫色の肉棹は、湯気が立っているように見えた。

「何を話せばいいんですか……」

千恵子が上擦った声をあげた。

三度目の寸止め地獄を味わわせた神野は、ベッドマットの下に隠しておいた注射器を取り出す。

千恵子が身構えた。

ポンプの中身はごく普通のビタミンB_1を配合した栄養剤だ。だが上半身に広がる彫り物と合わせて見ると、相手はたいがい覚せい剤と勘違いする。

極道は得だ。

「お前の会社は、千葉北インター近くにある『十文字実業』とはどんな関係なんだ」

注射針を右腕に近づけながら訊く。

千恵子は『ひっ』と呻き、顔を歪めた。

――三十分前。

トヨタ・オリジンの助手席に乗せて、京葉道路を走っている頃は、千恵子の方から、挑発してきた。

さして暑くもないのに、ブラウスのボタンを上からふたつ目まで外し、ハンカチで胸元を煽ぎ、ブラジャーを覗けるようにしてきた。

御誂え向きとはまさにこのことだった。

豊満な乳房だった。

神野がいかにも挑発に乗ったように、ビジネスパンツの太腿に手を伸ばしても、まったく抵抗しなかった。しないどころか、脚をさりげなく広げて、股間に指先が届くように仕向けてきたのだ。

パンツの上から女の土手の合わせ目の辺りをくじきながら、ラブホのパーキングへと滑り込んだ。

「ちゃんと契約、してくれますよね」

車を降りると千恵子は、情婦気取りで神野のパナマ帽を勝手に被り、腕を絡ませてきた。

「そのつもりで、ここに止めた」

　そう言ってやると千恵子は破顔した。

　だが笑顔はそこまでだった。

　まだ日が高い時分なのに窓のないラブホの一室は、情事だけが目的である部屋の独特な淫靡な香りに包まれていた。数時間前にもここで発情した男女が絡み合っていたに違いない。

　千恵子に先にシャワーを使うように勧めた。

　逃がさないためには、まずは裸にすることだ。

　シャワーの流れる音がし、ソープの香りが漂ってきたころ、神野は、ゆっくり服を脱いでバスルームへと向かった。ＥＤ治療薬を飲むのを忘れなかった。

　こっちもシノギとしてのセックスだ。

「あっ」

　シャワーヘッドを片手に振り向いた千恵子の顔が、瞬時に凍り付いた。口を開けたまま、神野の総身を見やっていた。

「倶利伽羅紋々（くりからもんもん）を見るのは、初めてでもないだろうよ。上野の極道のチンポもさんざんしゃぶった口だろう」

そう言って後ろから抱きつき、右手で股の間を、左手で乳房をなで回してやる。

「えっ、あなたは？」

乳首を硬直させ、股の肉襞の間からとろ蜜を溢れさせながら、千恵子は身を捩った。

「見ての通りの極道だ」

「なんで私のことを……」

千恵子は腰をくねらせ、身悶えしながら、神野の肉茎を握ってきた。ゆっくりと撫で上げてきた。

この女は極道の怖さを知っている。

そのぶん、攻め落としやすい。

神野はバスルームで立ったまま、背後から肉茎を挿入した。極太の棹で徹底的に千恵子の膣層を抉ってやる。

仕事に身体を張る女の肉路は鍛え抜かれているものだ。そいつをぐにゃぐにゃになるまで抉ってやる。

「はぁ、んんんっ」

千恵子は喘いだが、まだまだ営業用の声だと判断した。

「舐めんじゃねぇぞ。もっと気合を入れて、おま×こを絞れや。この緩まんが！」

千恵子のヒップを思い切り平手で張った。何度も張る。赤い手形が付くほど張った。

「あうっ」

叫び声と同時に、肉層が引き締まった。

「そうだ。そこまで絞れ。緩んだら、次は顔面パンチだ。顔をぐしゃぐしゃにしてやる」

いいながら拳で頬を軽く小突いてやる。

「そ、そんなぁ」

千恵子は泣きながら膣袋を締め付けた。歯を食い縛って絞めている。神野は、そのタイトな肉層を、縦横無尽に鰓で擦り立てる。

途中で淫芽の皮をむき、軽く上下させた。クリトリスはコリコリに硬直していたが、そのてっぺんには触ってやらない。

たやすく昇天はさせないのだ。

「あぁああ、いいっ」

業務用の膣が次第に柔らかくなり、硬い膜が一枚剝がれたような感触に変わった。

それを境に、膣壁が男根に吸盤のように張り付いてきた。

　密着感のレベルがぐっと上がる。

「あぁあ、くはっ、こんなのだめっ、あぁあん」

　千恵子が歯を食いしばっていた口をだらしなく開け、ひと際甲高い声を上げた。

「緩めるんじゃねぇ」

　神野は千恵子の首に、すっと手をかけた。

「いやぁあああああっ。絞めないでくださいっ。まんちょを締めますからっ、首は許してください」

　千恵子は再び歯を食い縛り、きゅるるっ、と肉路を締めた。亀頭が潰れるのではないかと思うほど圧迫される。

　気持ちよかった。

　すでに神野も亀頭の精子溜まりが爆発しそうだった。先に出してしまったほうが、さらに追い詰められるというものだ。

「どこの男たちを騙してやがる」

　渾身のストロークを叩き込む。

「私の昔の客以外は、社長が連れてきた富裕層の人たちです。どこで見つけてくるのかはわかりません……」

千恵子が、歌いはじめた。思った通りだった。

「おぉおおっ」

神野は飛沫をあげた。子宮にめがけて激射した。膣の中がどろどろになる。

「あぁあああああああ」

千恵子がさらに絞り上げる。全部搾り取る気だ。

神野はにやりと笑い、千恵子の唇を奪った。舌を絡ませる。射精しながらも、さらに腰を振り続ける。

「だから、お前の会社と千葉北インターの先にある『十文字実業』とどんな関係だと聞いているんだ？　あぁ、しらばっくれんじゃねぇぞ」

千恵子の両眼がかっと見開かれた。

男は出したら終わりだ、と思っている女の浅はかな眼だ。

神野たちはバシタをあやつるために訓練を積んでいる。

女に勝負をかけるときは、射精をいくらしても擦り続けられるように、肉茎を鍛錬しているのだ。

鍛えあげられたおま×こも、この鉄の肉茎には耐えられまい。

ベッドに移動してからも、神野は、千恵子に寸止め地獄を、くらわせ続けた。くたくたにし、脳がスケベなことしか考えられなくなってから、尋問する。

それが極道刑事の取り調べだ。

「あっ、はい、『十文字実業』はうちの社長の義理の父親がやっている会社です」

神野の下でまん繰り返しされている千恵子のクリトリスは紅く腫れ上がっていた。疼いて仕方がないようだ。

千恵子は先ほどから荒い息を吐きつづけ、汗だらけの顔は茹蛸のように紅くそまっていた。

「義理の父親？　そいつらは極道か」

「違います。社長の奥さんの父親ということです」

堅気の世界の義理の親子であった。極道の疑似家族とは違った。

「女房の名前はなんていう？」

「清美さんです。斎藤清美さんです。あっ、早くっ」

千恵子が腰を打ち返して来た。神野の陰毛に女芽を擦りつけて昇天するつもりだ。

神野はさっと腰を引いた。

「事実上の副社長とかかよ」

事前に調べた会社登記には名前がなかったが、夫婦で株を持ち合っていると思うのが自然だ。

「いいえ。清美さんは『湾岸エンゼル・モーターズ』の経営には一切かかわっていません。時おり会社に来ることもありますが、私たちとほとんど口を利くこともありません。奥さんは、病んだままなのだとか。ぁあぁ、いいっ。もっと擦り続けてください。ゆっくりでもいいので擦ってください」

神野が緩いストロークを送ると、千恵子はうっとりした表情を浮かべた。

「精神的な病ということか？」

抽送に少し変化を付けてやる。

「社長は言いませんが、うちの取引先の人から聞きこんだ噂話では、清美さんは学生時代に集団レイプに遭ったことがあるとか。それが原因でＰＴＳＤにかかったままになっているみたいで」

ＰＴＳＤは、心的外傷後ストレス障害の略だ。非日常的な恐怖などを体験したことによる障害だ。気の長い治療が必要になる。

「斎藤社長はそれを知って結婚したのか？」

「知ってのうえでの結婚だったそうです。心が病んでいることも含めてですよ。だから義理のお父さんは、うちに援助をおしまないのだとか……」

「輪姦は、外道のやることだ」

　腹立たしさに神野は、乱暴に腰を振った。

「どんなやり口だったかも、噂で聞いているだろう。喋れっ」

　剝き出しにした女芽に涎を垂らしてやる。

「んんんはっあ～『スーパー・キング』がどうのこうのと、聞いたことがあります。私には何のことかさっぱり……そいつらに復讐するために社名を『エンゼル』にしたとか……キングを倒すエンゼルだって、あぁ、そこを舐めてくださいっ。『湾岸エンゼル・モーターズ』が資金調達役で『十文字実業』が復讐の実行部隊のような気がします。傭兵のような男たちが、ようちに廃車にする車をとりにきますから……ぜんぶ喋りました。昇かせてくださいっ。このままだと、私、おかしくなっちゃいますっ」

　女芽がさらに膨らんだように見えた。

『スーパー・キング』

　何かの折に耳にしたことのある呼び名だ。すぐに調べたくなった。

やっているのが面倒くさくなった。

ずいずいと棹の全長を差し込み、ぴったり接触した土手を擦り立てた。合わせ目の女芽が押し潰され、ついに千恵子は狂乱した。

「あぁあああ、昇(い)くっ。はぁ〜ん、いくいくいくっ」

千恵子が海老(えび)反(ぞ)りになり、熱狂の声をあげる。

神野はすぐに男根を引き抜いた。自分はとうに射精しているので、思い残すことはなかった。ベッドから跳ね起き、スマホを取った。

『スーパー・キング』を検索した。

二十年前に太陽大学に存在したイベントサークルの名称だ。

そのすぐ下に『スーパー・キング事件』というのが記されている。その記事を開こうとしたら、いきなり電話が鳴った。

内川からだった。

「組長(おやっさん)、俺ら、いま賀茂を尾(つ)けて、豊洲の解体ビルを探っていますが、そのビルからフィアットに乗っていた女が連れ出されました。他に男がひとりです」

「なんだと！」

神野はすぐにトランクスを穿いた。

第五章　導火線

1

内川が、解体ビルのフェンスの中から、トヨタのプロボックスバンが出て来たのを目撃したのは五分前のことだ。シルバーメタリックのバンだった。

後部席のサイドウインドウ越しに、虚(うつ)ろな顔の女を見た。

髪型が変わっているが、あの彫りの深い顔だちは、ポルシェのドラレコで見た、フィアットの女に違いなかった。

マトにかけた相手の顔は確実に覚えている。これは極道の特攻隊長になるために、絶対的に備わっていなければならない資質であった。

助手席にも、色白で細面の男が座っていた。ヘッドマットに後頭部を付け、空を仰ぐような体勢で座っていたが、その眼は淀んでいた。

ステアリングを握っていたのは、賀茂だった。

やって来たときにクレーン付きのトラックを運転していた髭面の大男はいなかった。

賀茂の車は、ビッグスクーターの星野浩二に追わせた。

おおかた『十文字実業』に戻ると予想されるので、エルグランドを先に向かわせた。エルグランドには兵隊四人が乗っている。

組長の許可が出たならば、襲撃させフィアットの女を攫わせる。

この状況を組長に知らせた。すぐに豊洲に向かうと言っていたが、西船橋からだというので、なんだかんだで一時間はかかりそうだ。

内川は腕時計を見た。

午後五時十分。

間もなく日が沈む。

「田村、忍びこむぞ」

「がってんです。すぐそっちに向かいます」

コインパーキングで待機していた副長の田村が、駆け足でやって来る。背中にリュックを背負っていた。

　ふたりで夕闇の裏路地に回る。ビルとビルの間に挟まれた路地はすでに薄暗く、侵入を試みるには格好の場所だった。

「忍者ごっこといくか」

「いやいやアニキ、『ミッション：インポッシブル』のトム・クルーズって言ってくださいよ」

　田村がリュックから、吸盤付きの手袋とロープを取り出した。ジュラルミンのフェンスに、よく張り付く吸盤だ。

「いや、俺たちにインポッシブルはねぇからよ」

　田村を肩車してやりながら言う。

「すいやせん、踏みます」

　田村は内川の肩の上に編み上げブーツの底を当て、一気に立ち上がった。

　フェンスの高さは四メートル。

　身長一七二センチの内川が、一七八センチの田村の台になった。肩骨が軋むが、両腕を伸ばした田村の手のひらはフェンスの上端を捉えていた。

　吸盤の張り付く音がする。内川の肩から足を離した田村は、腕を折り曲げ、懸垂するような格好から一気にフェンスを登って行った。

裏側に着地するとロープが飛んできた。

今度は内川がそのロープを頼りにフェンスを越える。

着地した場所は解体の準備が進んでいるビルの側面だった。正面の前は駐車場となっており、ダンプやブルドーザー、クレーン車などが並んでいる。ダンプには鉄骨やポールがいくつも積まれていた。

隅に賀茂が乗ってきた三菱キャンターも駐まっていた。小型クレーンを積載してるので、小型ブルドーザーと共に石膏ボードなどを破壊していくのではないか。

二十五階建てぐらいのビルで、その半分までに足場が組まれていた。

ビルの解体は上部から始めるのが普通だろう。

このビルは、まだ足場を作っている段階のようだ。そうであれば中はまだ手つかずであろう。

解体前の廃ビルは、悪党の隠れ家に持ってこいだ。ときに海外マフィアも、工事現場に外国人労働者を送り込み、実態を把握したうえで一角を薬物の取引に使用したりしている。

内川たちは、そんな現場を何度も叩き潰しに行ったものだ。

「ここに、景子姐さんを攫った女がいたということは、姐さんも監禁されていそうですね」

ビルの裏側に進みながら、田村が言った。

「その可能性は大だ。産廃専門の車両業者の賀茂なら、解体ビルの実情にも詳しい。まだ作業の始まらないビルを、勝手に使っている可能性もあるさ」

ビルの解体は、すべての準備が整わない限り実施されない。手順が決まり、足場を組み、段取りよく上層階から順に解体されていく。

特にこうした都心部にある高層ビルとなれば、慎重なうえにも慎重に、準備がなされる。

その間は、手付かずのままだ。

引っ越しが行われ、空洞と化したビルが半年以上もそのままになっているのが普通だ。この間に、地面師などの餌にされ所有権が曖昧になったりすると、数年間放置されることも稀にある。

ビルは静まり返っていた。

「足場づくりの先は長そうだな。ダンプで運んできた鉄骨を足していくんだろうが、クレーンはわかるが、なんでブルまで来ているんだ?」

内川は、裏へ裏へと歩きながら、ビルを見上げ首を捻った。

「そうですね。ブルを使うにはまだ早すぎる。解体業者から駐車スペースとして借りているんでしょうかね。千葉からわざわざ運ぶよりも都内に予備駐車場を持っていたほうが得ですから」

田村が窓の中を覗き込みながら言う。みたところ人の気配はない。

ありえないことではない。いずれ工事が始まるまで、先に車両基地として使用させてもらっているということだ。

ふたりはちょうどビルの真裏にやってきた。フェンスの向こう側は運河のようだ。対岸は晴海だ。

「ちょっくら中の様子も見てぇな」

「上がってみますか」

田村が先に足場の階段を昇り始めた。出来ているてっぺんまで上がった。

「まだ半分以下ってところだな。この時間で作業員もいないってところをみると、中断しているのかも知れんな」

そういうことはままある。

「中はまったく手つかずですね。灯りがついたら、すぐに会議室にでも使えそうですよ。ライブハウスにも使えそうな広さです」

ガラス窓を覗いていた田村が言う。日はほとんど落ちた。

それで内川は気が付いた。二段下の足場で光っているものがあった。上がってくるときには気づかなかったものだ。

「あれは、スマホじゃねぇか」

「そうですね。作業員が落としたんですかね」

すぐに田村が拾いに降りた。内川も続く。

やはりスマホだった。ボディカラーは、ピンクのメタリックだ。液晶に大きな罅が入っていたが、田村がタップするといきなり動画が動き出した。

「なんだ、これは！」

内川は思わず声を張り上げた。

そこに映っていたのは、神野組の姐御、喜多川景子であった。しかも凌辱されている動画だ。

「田村、お前は見るんじゃねぇ」

内川はスマホをひったくり、ビルの上を見た。スマホは落下してきたのではないか。そう推測した。

「姐さんは間違いなくここにいるぞ。中に入る手はないか」

「道具がねぇんで、外から窓を開けるのは難しいと思います。一階には必ず通用口があると思いますが」

「……だな」

内川は、窓ガラスを蹴破りたい衝動を抑えた。癇癪(かんしゃく)を起こして敵に気づかれては、元も子もない。

急がば廻(まわ)れだ。

猛烈な勢いで一階まで降りた。日は完全に落ち、辺りは闇になっていた。見上げれば空は墨で刷(は)いたような雲に覆われている。

いまにもまた雨になりそうだ。

駐車してあるダンプやブルドーザーに人気(ひとけ)のないのを確認し、ビルの正面に回る。

もともとこのビルの正面玄関だと思われる扉の前は、何枚もの板で塞がれていた。その横に、臨時に作られたと思(おぼ)しき鉄扉があった。マンションサイズの一枚扉だ。ビルの壁の一部を壊して作ったようだ。

正式に解体が始まるまでは、この扉を使っているということだ。本来の正面玄関の自動ドアを塞いだのは、電気代の節約と防犯上の理由だ。

工事関係者だけが持つ鍵で出入りしているのだろう。

鉄扉のノブを回した。鍵はかかっていなかった。まだ中に作業員がいるのだろう。賀茂と一緒に来たはずの傭兵のような大男も中にいるのではないか。

内川と田村は、そっと中に入った。真っ暗闇のエントランスホールだった。

六基あるエレベーターの一基だけが、稼働していることを示すランプがついている。現在いる階は二十階のようだ。

内川と田村は闇の中を目を凝らし、エレベーターへと進んだ。

と、突然、闇の奥で風を切るような音がした。ふたりは条件反射的に床に伏せた。

床にナイフが落ちたような音がする。回転してその方向に進むと医者が使うメスだった。

「ちっ」

さらにいくつか飛んできた。回転してどれも躱す。ふたりとも二本ずつメスを拾った。逆に武器をもらったようなものだ。

「おびきよせるぞ」

田村の耳もとで、そう呟く。田村は頷いた。

次のメスが飛んできた。しゅっと風を切る音がし、三、四本飛んできた。相手はふたり以上はいるようだ。

「うぎゃぁ」

田村が悲鳴を上げた。

「あうっ」

内川も呻いた。太腿を押さえて、おおげさに壁に身体を打ち付ける。

すぐに奥から足音が聞こえてきた。

引っかかりやがった。

どこにも当たってはいない。

だが、敵はふたり程度ではなかった。四人はいる。しかも奴らのほうが、闇に目が慣れているようだ。

内川にはよく見えない。田村も目を擦っていた。

足音と共に頭らしきものが見えてきた。黒の戦闘服を来て、顔を下に向けながら駆け寄ってきているようだ。

闇に紛れて見えない。

——接近してきた！

そう感じた瞬間、腹部に激痛が走る。蹴りを入れられたようだ。鉄板入りの安全靴だ。

「ぐふっ」

内川はさすがに胃液を上げた。

「はうっ」

隣で田村も叫び声をあげていた。顔面から血飛沫があがっている。これは本気の絶叫だ。

「てめぇら、歌舞伎町のヤクザのようだな。わざわざ、ここに入ってくれて助かったよ。粉砕機で、粉々にしてやるよ」

黒い戦闘服を着て筋骨隆々に見える男が、不敵に笑っている。坊主頭だった。暴力のプロの表情だ。

なぜこちらの身元が知れている？

内川は目を擦った。ようやく闇に目が慣れてきたところだ。

だが、ボディにもろに食らったので、すぐには立ちあがれない。

男はそれを嘲笑うように、ゆっくりと右足を上げた。腹部を狙って、そのまま落としてくる。踵落としだ。

内川は本能的に身を捩った。それが精一杯だ。

左の上腕に鉄の塊が入った踵が落ちてきた。

「あうっ」

激痛が走る。

闇の隅でけたたましい音がしている。田村もふたりがかりで蹴りまくられているようだった。

「大嫌い！」

別な足に顔面を蹴られた。歯を食いしばり見上げると、ショートボブの女だった。アッシュブラウンに染めている。

面長の一重瞼(ひとえまぶた)の女だ。男たちと同じ戦闘服を着ている。年齢は不詳だ。アマゾネスのような引き締まった体形で、右手にジャックナイフを握りしめていた。

「ヤクザって、女を食い物にするロクでなしよねっ。私の一番嫌いな人種。ここで死んじゃいなさいよ」

女がいきなりジャックナイフを振り下ろしてきた。

「くそアマっ」

内川は最後の力を振り絞り、女の足を払った。壁に背を付け、上半身を起こす。

「うっ」

女の身体が泳ぐ。だが倒れはしなかった。

「ぶっ殺してやるわ」

今度はナイフを両手で構えた。

「寛子(ひろこ)よせっ。ここで大量の血や腸(はらわた)の脂(あぶら)を流されたら、後始末が面倒だ。滅多打ちにして上に運ぶんだ」

男の声は冷静だった。

「夏生(なつお)、粉砕機のボタンは私に押させてくれるわね」

「わかった。そうさせてやる」

「なら、気絶させてやるわよ。二十年前に、母がされたようにね」

寛子が猛然と内川を蹴ってきた。内川は耐えた。極道は堅気(かたぎ)と違い、リンチにも慣れている。出来るだけダメージが少なくなるように筋肉を硬直させながら受け、しかも大げさに喚(わめ)いた。プロレスのバンプ(受け役)の要領だ。

田村も耐えているようだ。

せいぜい三十分も待てば、組長がやって来るだろう。

こいつらの命も、それまでだ。

「あうっ」

内川はさらに大げさに叫び、ゲボゲボと吐きあげた。

2

神野は、首都高新木場の出口に差し掛かっていた。

スマホのスピーカーフォンから後藤の声が流れてくる。

「『スーパー・キング』は太陽大学のイベントサークルでしたが、二〇〇〇年頃から啓法大学や光明大学とも連携し、インターカレッジとなったサークルですよ」

「どれも一流大学だな」

「はい、この三大学が中心となって、徐々に傘下大学を増やしていきます。六本木や渋谷の大箱で、千人単位のイベントを仕掛けるようになって、一時はマスコミからもてはやされたみたいですね。通称スーキン。なかなか頭のいい連中で、後から入ったランクの低い大学のサークルにはきついチケットノルマを課して、こき使っていたって話ですよ。それでも、スーキンのイベントに行けば、有名人や大企業の連中とコネが出来ると、地方の大学の学生までが、やって来たっていいます」

後藤が要領よく説明してくれた。ネットの記事を読むより楽だ。

「企業も関わっていたのか」

　そこら辺のことも気になった。

「当時は学生にＰＲ活動をしたい企業や大手広告代理店が、スーキンのイベントにこぞって協賛金を提供していたそうですよ。学生側にとっても結構なビジネスになっていたようです」

「学生のくせに興行屋の真似事かよ。で、事件ってぇのは？」

「はい、ちょっと待ってください。いま『スーキン事件』のまとめサイトを開いています」

　後藤が一呼吸入れた。すぐに続ける。

「輪姦事件です」

「学生が、まわしかよ」

「はい、主力大学の幹部学生たちが、集まった女子大生の中から獲物を見つけ、二次会で大量に酒を飲ませ、輪姦をやっていたんです。二〇〇三年に何人かの女子大生が警察に被害届を出したことで事件が明るみになりやした。結果、代表者をはじめ約十人の幹部が逮捕されています。代表者は十一年の実刑を食らって千葉刑務所に入っていたみたいですね。スーキンはそれで消滅してます」

「だいたいわかった」

新木場の出口が近くなってきた。

「あっ。組長、新木場で出るよりも有明からUターンしたほうが早そうですよ。新木場からの下道は都心方向は大渋滞っす」

後藤は何台ものパソコンを覗きながら、情報を伝えてきている。交通情報もチェックしてくれたようだ。減速しつつあった神野は、新木場の出口をパスし、アクセルを踏み込んだ。

時刻は午後六時を回ろうとしていた。

三十分前、内川と田村の電話が繋がらなくなった時点から、後藤は所在の割り出しを始めている。組員の電話が繋がらなくなった場合は、逃亡したか、トラブルになったかどちらかだ。

内川と田村の場合、飛ぶことは考えにくかった。

「『スーパー・キング』ってそれだわ。社長の奥様の清美さんは四十歳ぐらいですよ。二十年前と言ったら、たぶん大学生。その連中の餌食になったんだわ」

助手席で聞いていた山本千恵子が、ぼそっと呟いた。

「奥さんは、どこの大学か聞いていないか?」

「『マリス女学院大学』と聞いたことがあります。社長は東北の国立大学ですから、いまの話にでた連中とは無縁だと思います。『十文字実業』の賀茂社長は太陽大です」

どうやら繋がったようだ。

はっきりとした仮説が浮かび上がる。

『湾岸エンゼル・モーターズ』の社長である斎藤勝也の妻、清美は、二十年前に輪姦(まわ)された。

それがもとで心因性外傷後ストレス障害にかかったままとなった。

それを承知で結婚した勝也を、清美の父の賀茂政蔵は援助している。斎藤は元々私立高校の教師なので、教育者として精神を患った妻と折り合いが付けられたのかもしれない。

そして娘を凌辱された父親——賀茂政蔵は、斎藤のために中古車販売会社を持たせて、資金援助している。

一見、よりよい暮らしをさせるための援助のように見えるが、もしもこのふたりが、復讐(ふくしゅう)を考えているとすれば、怪しげなヴィンテージカーの取引や産廃物の処理工場を持っていることにも納得がいく。

『湾岸エンゼル・モーターズ』は裏のビジネスで資金を溜め、『十文字実業』は実行部隊を組織し、あの工場で武器を製造している疑いがある。

狙いは、スーパー・キングに関わった者たちか？

東名高速道の事故で死亡した、メルセデスに乗っていた財界人たちも何らかの形で、スーパー・キングに関わっていた可能性がある。

「後藤、東名の事故でやられた北急物産と日本商業銀行の偉いさんの歳はいくつだった？」

「ちょっとお待ちを」

後藤がパソコンを操作している音が聞こえた。ネットニュースの過去記事を拾っているはずだ。

「北急の奥平常務が五十二歳。日商銀の峰岸副頭取が五十三歳です。ふたりとも二十年前は三十二と三の働き盛りですね」

スポンサーとしてスーパー・キングに関わっていたとしてもおかしくない。

「後藤、それだけのイベントを打っていたなら、当然ケツモチがいたはずだな」

神野は訊いた。

「はい。ハコを押さえて、ケツを持っていたのは当時の『六本木黒鵬組』です。すでに解散していますが、堅気直りしている奴なら探し出せます」

「おう。そっちからも情報を取っておけ！」

ただちにそう命じて、電話を切った。

「あの、いま言っていた財界人って、生贄に差し出された女の子を食った人たちではないでしょうか」

隣で千恵子が言った。

「そう考えると、辻褄があうな」

「はい。弱小芸能プロと同じやり方では？　私も学生時代に、タレントになりたくて半グレがやっていた芸能プロに所属していましたが、その時にさんざん大企業の社員に枕営業をさせられました。闇イベントなんかをやって、集まった各界の大物に、女を付けるんです。そうやっては弱みを握っていく。きっと当時のイベサーも似たような考えだったんじゃないですか」

助手席の千恵子がそう答えた。それがこの女が、後に風俗に進んだ理由かもしれない。

この女は使える。

千恵子は上半身しか着衣していない。

下半身は剝き出しのままで、陰毛も見えていた。

黒のビジネスパンツもバイオレットのショーツも、車に乗り込むと同時にナイフを突きつけて脱がせた。

脱いだパンツとショーツは窓から捨ててある。逃亡を防ぐためである。

東関東道にひらひらと舞っていき、成田空港から来たと思われるリムジンバスのフロントに張り付いていた。

組事務所に電話し、昔、上野のデリヘルで一緒だった里香に、神野の素性を語らせると素直に脱いだのだ。

神野が関東でトップの任侠団体の直参組長だとはっきりと知り、逆らう意識は消え失せたようだ。

極道の前で女が下着を脱ぐのは、恭順の意をあらわすことだ。

「あの私、これからどうなるんでしょう?」

千恵子が内腿をくねくねと擦り合わせながら聞いてきた。

「いままで車を売った相手に、今度は高級時計を売れ。七割上納だ。ただし、うちの寮に入れば、家賃はいらない。組の者が発情したら、相手をするのが条件だ。一年後は六割上納。毎年一割ずつ上納金が減って、十年で年季明けだ。セキュリティが必要だったら、その後も一割入れろ」

　神野は千恵子にシノギを与えることにした。

「わかりました。時計の仕入れはどこからでしょう」

　ノーと言えないことを、この女はよく知っているようだ。それに悪い条件ではない。神野組は優良極道だ。

「ホストが客から貰ったものを持ってこさせる。仕入れはタダだ」

「凄いやり方ですね。でもホストは素直に持ってくるんですか」

「うちが警備をしてやっているから、奴らはチャイナマフィアやアフリカンマフィアからも襲われずに済んでいる。その見返りに、有り余っているブランド時計を回収してやるという寸法だ。共存共栄策だ」

「はっきり値段がわからないものがいいんです。六〇年代のロレックスとか。八〇年代のブルガリとか」

「そういうものをプレゼントに持ってくるように仕向ける」

「やります」

　有明インターを降りた。

「後藤、内川が入ったビルは探り当てたか？」

「はい。奴のファットボーイが駐めてある位置の近くにある解体ビルは、一棟だけです。旧『豊洲ＮＥＷＳビルディング』といいます。特攻隊のフォード・エクスプローラーの一個小隊が待機しています。突撃用のダンプも、もう着いているはずです」

後藤が住所を言った。

「わかった」

一度聞くと頭に入る。極道のトップになるには記憶力がものをいう。なんども同じことを聞くボンクラは、生涯三下（さんした）暮らしだ。

モニターに浮かぶマップを見ながら、豊洲に向かう。

運河の近くにフェンスに囲まれた『豊洲ＮＥＷＳビルディング』が見えてきた。

反対側の車線からは、今どき珍しいボンネットトラックが見えてくる。五十年前のヤクザが出入りに使っていたような代物だ。

潰した右翼団体から奪ったものだ。

どうせ突っ込むのだから、ぼろくていいのだ。

それにしても戦時中の軍用車だ。

「レトロモダンな感じですね。あれ、値が付きますよ」

千恵子が、露出したままの陰毛に両手を添えて隠しながら言っている。

「もっと早くお前と知り合いたかったよ。もう二十台は潰している」

神野はアクセルを踏み込んだ。

3

「くたばらないねぇ。こいつ、まだ動いているよ」

寛子がヒステリックに叫んでいた。

「俺も、早く気絶して楽になりてぇんだがよ。そのぐらいのキックじゃ、きかねぇんだよ」

内川は血だらけの顔で笑った。ギリギリだが、辛うじて意識を保っている。反撃したい気持ちもあるが、人数では負ける。動くほど体力を消耗するというものだ。ここは、耐えるのみだ。いまは組長が来たときに、一緒に暴れられる余力を残しておくべきだ。

「こっちもだ」

田村もせせら笑っている。ふたりの男に、回し蹴り、膝蹴りを食らっているが、そのたびに床をごろごろ転がって時間を稼いでいる。

暗黒のエントランスにも、ようやく目が慣れて、寛子と夏生の顔もはっきり見えるようになった。

寛子は一重瞼だが、双眸(そうぼう)は光っているように見えた。ピューマかジャガー。猫科の獣に似ている。

坊主頭の夏生も一重瞼だった。背はさほど高くはない。だが胸板は厚く、肩や腕についた筋肉は、プロレスラーのように盛り上がっている。

その夏生の拳が、顎の下を狙ってきた。ボクシングのチンだ。もろに食らったら、顎骨が砕けそうだ。

内川は拳を受けると同時に、身体を海老反りにした。急所は外れた。

「くたばれっ」

寛子が肘を曲げて、飛び上がった。内川の胸を直撃するつもりだ。当たればあばら骨が折れる。

——しょうがねぇ。

反撃することにする。

内川は即座に上半身を起こし、降ってくる寛子に下から抱きついた。がっちりと対面で抱き締める。疲労困憊（こんぱい）している中では、自分のモチベーションの上がる攻撃だ。女を抱くのは好きだ。寛子の顔がドアップになった。

「なんで、こんなに体力が残ってんだよ。腐れヤクザが」

寛子は唾を吐き、両手両足をばたつかせた。それでも離さない。

腐れヤクザの根性だ。

夏生が背中にキックを見舞ってくる気配を察し、内川は床の上で、尻を回転させた。抱いた寛子の背中を盾に使う。

「うぅうう」

寛子が顔を歪（ゆが）め、呻いた。

かまわず内川は、寛子の戦闘服のズボンのファスナーを開け、手を突っ込んだ。指先にパンティが当たる。つるつるしている。縁から人差し指を入れた。今度はヌルッとくる。

「な、なにするんだよ」

女の渓谷に触れられた寛子の目に恥辱の色が滲（にじ）む。

ズボッと膣（ちつ）穴に指を押し込む。狭くて入らない。それでも無理やり入れてやる。

内川にとって、モチベーションのあがる攻撃だった。

「やめろぉ。指なんか入れんじゃないよ」

脇腹に猛烈な肘打ちを食らった。身体が揺れる。

「黙れっ」

内川は有無を言わさず、寛子の唇に吸い付き、猛然と舌を絡ませた。膣に入れた人差し指をぐるぐると回転させる。

「んんんんはっ」

寛子はびっしょりと濡れた。

「やめろ。寛子から離れろ」

夏生が、狂ったように殴りかかってきた。ナイフを上腕に挿し込んでくる。激痛を堪え、内川はとどめに親指で女芽を押した。

「んんわぁぁあああ」

むりやり絶頂させられた寛子が激しい痙攣を起こした。表の方で、大きな音がする。奥からさらに戦闘服を着た男たちが走ってきた。

「この野郎、もう勘弁ならない。刺し殺してやる」

夏生が今度は脇腹に目がけてくる。

「うっ。田村、まじやべえ」

「アニキ！」

刃先が当たったその瞬間、エントランスの正面玄関に轟音が響いた。

振り返ると、封鎖用のベニヤ板や停止していた自動ドアのアクリルを木っ端微塵にして、いきなり巨大トラックのボンネットが突き出してきた。

神野組のカチコミ用トラックだ。フロントグリルは戦車のような鋼鉄に改良されているはずだ。

エントランスにコンクリート破片の粉塵が舞った。

運転席はまだ見えない。

ボンネットトラックは一旦バックする。金属やガラスの擦れるいやな音がした。ぽっかり玄関に穴が開いた。

「なんだ、なんだ」

夏生が叫び、戦闘服を着た男たちが、後退りする。内川は、寛子を手放し、回転して壁際へと退避した。

トラックが再び勢いよく突っ込んできた。前よりも大きな音がする。

ステアリングを握っているのは、佐々木だ。運転席で親指を上げている。

「後輩、待ってたぜ」

内川もサムアップする。

壁際でタコ殴りにあっていた田村も元気づき、殴りかかっていた男の腹部に、頭突きを繰り出している。

何事もゴールが見えると、力が湧くものだ。

佐々木は、エントランスロビーに乗り上げても、アクセルを緩めなかった。正面にいる十人ほどの戦闘服の男たちに向かい突進している。

轢き殺す気、満々だ。

「おいおいおい」

「うわぁ」

男たちは蜘蛛の巣を散らすように逃げ回った。

空いた穴からフォード・エクスプローラーが乗り込んでくる。金属バットを握った神野組特攻隊員が四人降りてきて、逃げ惑う男たちに襲い掛かった。脛を狙いフルスイングしている。

「ぐわっ」

「あうっ」

そこら中に怒号と悲鳴が響き渡る。

最後に、見たことのないトヨタ車が入ってきた。運転席から降りてきたのは、組長、神野徹也だ。フォードから降りた手下が、すぐに金属バットを一本手渡す。

「こら、てめえら、俺の情婦をどこに隠しやがった」

神野がいきなり夏生の腹をフルスイングする。

「ぐふっ」

夏生が胃液を噴き上げ、その場に蹲った。

「そんなことは知らない。俺たちは、このビルの警備を委託されている者だ。不審な侵入者がいれば、取り押さえるのが普通だ。ヤクザがなんの用だ」

腹を押さえながら言っている。

寛子は天井を向いて、荒い息を吐いている。

「嘘よ。その男は『十文字実業』の作業員だわ。うちに何度も廃車を引き取りにきているわ。そっちにいる女もよ」

突然、助手席の女が叫んでいる。

「エンゼルの社員じゃない？　なんでそこにいるのよ」

寛子が戦闘服のファスナーを上げながら言っている。

「何が、警備だ。てめぇら偽装事故を起こして、財界人を殺したな。てめぇらこそ、

「何者なんだっ」

神野が、夏生の肩に、金属バットを叩き落とした。

「うわぁっ」

肩の骨が砕ける音がする。

それを機に、十人ほどの戦闘服の男たちが鉄パイプを振り回して襲い掛かってきた。シャープな動きだ。

やはり訓練を受けた戦闘員のようだ。

だが、それに怯む神野組の特攻隊員ではない。

「内川っ、上がれ」

神野がボンネットトラックの荷台に飛び乗っている。内川も続いた。夏生と寛子がふたりがかりで、足を取ろうと迫ってくる。寛子の頭を蹴って這いあがった。

荷台には灯油のポリタンクがいくつも積まれていた。

「かまわねぇ、こいつら全員、焼き殺せや」

神野はすでに二リットルの赤いポリタンクのキャップを外し、持ち上げていた。

組長がここまで激怒するのは珍しい。相当頭にきているのがわかった。

「へいっ」

　内川はトラックの後輪に足を掛け、よじ昇ってこようとしている夏生に灯油をかけた。ざばっと頭からかけた。

　神野はそこら中に撒(ま)いている。

　組の特攻隊員たちは上手くかわしていた。

「おらおら、ビルごと燃やしてやるよ」

　内川も二個目のポリタンクをぶちまける。灯油の臭いが充満した。

「面倒くせえ、このトラックごと爆破させるか？」

　神野がポケットからオイルライターを取り出した。フリントホールを回そうとしている。

「お願いやめて！　そんなことをしたらビルごと吹っ飛ぶわよ」

　額に付着した灯油を肘で拭いながら、寛子が叫んだ。他の戦闘員たちも動きを止めた。

「だったら、俺のおんなをだせや」

　神野はフリントホールを回した。さすがに内川も息を飲む。灯油が充分気化し始めているからだ。

「ちょっと待って」

寛子がスマホを取り出した。油まみれの指でタップしている。誰かが出たようだ。

「歌舞伎町のヤクザが、乗り込んできて、エントランスに灯油をぶちまけたわ。マジで火をつけそう。女を降ろして」

やはりここに人質がいることがわかった。だが、すぐに寛子の表情が変わった。

「なんですって。私たちを見殺しにする気？」

顔が蒼ざめていた。

寛子は怒りに満ちた顔で、スマホを捨てた。

「無理ね。サトルは爆破するならすればいいって。どのみちここは爆破させるつもりなんだから。もう十階までは火薬が敷き詰めてあるし、二十階にはロケットランチャーもあるし。極道の妻ごとぶっ飛ばしちゃう気だね」

それを聴くと戦闘員たちが、鉄パイプを握ったまま、いきなり外に向かって逃げ出した。

サトルという男が、景子と一緒に居るようだ。しかしロケット砲とは大げさすぎる。

「なんだと？　お前ら本当に何を企んでいる？　スーパー・キングへの復讐じゃないのか？　ロケット弾をどこに向けているんだ？」

神野が飛び降り、寛子の髪を摑んだ。

「知らないわよ。けども動乱が必要なのよ。既得権を持った連中を潰すにはね」

寛子が訳のわからないことを言い出した。

「極左だな！」

神野が平手打ちをくらわした。その背後に忍びよる夏生を、内川が荷台からジャンプして背中に膝蹴りを見舞ってやる。夏生は悲鳴をあげて、灯油に濡れた床の上に倒れた。

「その逆だよ。『日本烈火党』は腐った保守を再生させるんだ。あんたらも侠客なら、うちらと手を組んだらどうなのよ」

極石のようだ。

「右でも左でも、関係ねぇ。俺の女を捕った奴は殺す。スマホの相手は何階にいる？」

神野はオイルライターを翳す。

「二十階……サトルはうちら以上に狂っているから、もう手が付けられない」

「内川っ、特攻隊は道具を持ってきているか？」

神野に呼ばれた。

「へいっ」

「今日は、俺も飛ぶぜ」

神野の頭の中で、作戦が決まったようだ。

「合点でさぁ。おいっ、そのふたりだけは生け捕りだ。フォードに乗せろ。『トペ・スイシーダ』の陣形をとれ」

内川は素早く部下たちに伝えた。

作戦名にはよくプロレスの技を使っている。スイシーダはスペイン語で自殺行為という意味がある。組では毎度のように使っている作戦だ。

「はいっ、こら、てめえらこっちへ来い」

手下たちが寛子と夏生にライターを突きつけ、フォード・エクスプローラーに連行していく。佐々木もボンネットトラックをバックさせる。田村が組長の乗ってきた車に乗り込んだ。助手席の女が会釈していた。

内川はフォードからリュックをふたつ取った。ひとつは組長に渡す。迷彩色のリュックだ。かなり大きい。紐が垂れていた。

準備万端だ。

「ササケン、上手く拾ってくれよ」

内川がそう言っている間に、神野が、エレベーターのボタンを押した。二十階にいるエレベーターが下がってくる。

「行くぞ」

4

二十階の扉が開くと、正面に景子が倒れていた。乱れてはいるが服は着ていた。

「あんたぁ、真横に男がいるわよ。ちょっと前にやってきて、私を攫った男女を連れて行ったのよ」

目を見開き叫んでいる。

すっと内川が先に出た。囮(おとり)を買って出てくれたのだ。

エレベーターの開いた扉の左端から、ぬっと腕が出てきた。握ったナイフがギラリと光る。

気配を感じた内川が、すっと右に飛ぶ。追いかける男の姿が現れた。

「お前、今朝から俺らのことを探っていたな。日本再生を邪魔立てするな」

兵士のような体格の男だった。サトルだ。

「しゃらくせぇ。自分を再生しろよ」

神野はエレベーターの中から、金属バットでサトルの膝の皿を打った。完全に割れた。左右共にだ。

「あうっ」

冷蔵庫のような巨体の男が、悲鳴を上げて床に這いつくばった。すかさず内川が馬乗りになり、顔面に拳を叩き込んだ。

「こいつ、十文字実業にいた男ですよ。賀茂と一緒にここにやってきています」

内川が殴りまくっている。

「景子。待たせたな」

神野は、駆け寄った。

「すみません。手間をかけさせまして」

景子はうなだれている。

「いや、おかげで、このやばい連中と出会えた」

「そうなのよ。この壁の向こう側に何かある感じ。ゆうべからいろんな音がしているのよ」

景子が背中の壁を叩いた。石膏ボードの壁で、向こう側に空洞があるような音だった。

見渡せば、ここは部屋というより、どうやらエレベーターホールを石膏ボードで囲んだだけのスペースらしい。

神野は景子をエレベーター側に行くように促し、壁を金属バットで叩いた。

「やめろ！　そこは見るな」

サトルが声を張り上げた。だが、膝蓋骨を割られているので、太腿から下には力が入らないようだ。

「内川、気絶させておけよ」

「はいっ」

内川は立ち上がると、膝頭にさらに踵を打ち込んだ。激痛が走ったはずだ。さらに、顔面にサッカーボール・キックの乱れ打ち。

「うぅ」

短い悲鳴を上げて、サトルは気を失った。

内川も金属バットを持って、壁を壊しにやって来る。こんなことなら、大型ハンマーを持ってくればよかったと、ふたりで笑ったが、壁は案外早くに割れた。

「おいおいおい」

壁の向こう側は、ただ広いスペースだ。すべての壁が取り外されてしまっているので、フロア全体が見渡せる。あるのは巨大な柱が何本かだ。

その中央。左右の窓に向けて三脚に支えられたロケットランチャーが何本も並んでいる。

ウクライナ戦争のニュース映像でよく見るトラックの荷台に積まれたロケット砲とは違い、本来は肩に担いで撃つスタイルのものだ。

太い槍(やり)のような形だ。

自家製のようだ。いずれも形が不格好で、色も統一されていない。さまざまな鉄を溶解させて再生したに違いない。

「産廃物を使って、組み上げたのだろう」

神野はひとつひとつの砲を触ってみた。約一メートルほどのロケット弾が装着されていた。

「香港(ホンコン)や澳門(マカオ)、それに南米なんかでも、小型ロケット砲の設計図は買えるようです。拳銃程度ならネットを見ながらでも作れる時代ですから、こんなものも隠れ工場があればできてしまうんでしょうね」

内川が言った。

「読めたな。賀茂たちは、千葉で細かな部品を製造して、ここで組み立てていたのさ。まだ解体がはじまっていないので、施主は気づいていない。壊した石膏ボードの屑を運び出しているというだけだと思っているだろう」

神野はため息を漏らした。

「はい。火薬も相当、ここに運びこんでいることでしょう」

ビルを自己爆発させて、ロケットを飛び出させるつもりだろう。

ロケットランチャーは、一方は運河を挟んだ晴海のマンション街を、もう一方は、首都高を向いていた。

果たしてそこまで届くのか？　飛距離がどれほどあるのかわからない。

だが、飛び出せば、辺りは火の海になるだろう。

「内川、弾丸を取り外すぞ。飛ばないぶんには、内部爆発で収まる」

「了解です」

ふたりで約二十基の砲から抜いた。

床に転がしておく。

「ぼちぼち、火の手が回ってもおかしくないです」

内川がいうと下方で、ボコボコと爆発する音が聞こえてきた。他の階にも戦闘員がいたはずだ。そいつらが火を放って逃げたのだろう。

神野たちは織り込み済みだった。

「よっしゃぁ。飛ぶぞ」

「はい」

内川が窓を開けた。

夜風が突風のように入ってくる。

窓の下は運河だ。その手前に佐々木がトラックをつけている。

「流されても川だ。死にはしないだろう」

「あんた。まさか、そのリュック、気になっていたんだけど……」

景子が顔を引きつらせていた。

「そういうことだ。エレベーターはもう使えねぇようだからな」

神野はリュックの紐を指差して笑った。

「私、いやだよ。それいやだから」

そう言う景子を後ろから抱きしめた。窓の縁に足を掛ける。

「先にいくぞ」

「はい、すぐに追います」

内川はサトルを抱き起こしていた。生き証人だ。ここで死なすわけにはいかない。

神野は飛んだ。

プロレス技のトペ・スイシーダ。

一年前、原爆を背負って飛んだ時よりはるかにましだ。

「いやぁぁあ」

悲鳴を上げる景子のスカートが翻る。パンツは穿いていなかった。

紐を引くとパラシュートが開いた。

「いやぁああ。若い衆がみんな上を見ているじゃない」

「うるせぇ」

案の定、風に流された。荷台にマットを敷き詰めたトラックを遥かに超え、運河へと落下した。

続いて内川も降ってきた。

飛沫があがる中、ビルの内部が、オレンジ色に光るのが見えた。いまどき、都市部では許可の下りない解体手法だ。

それでもおそらく、ビルは半壊といったところだろう。

ロケット砲を下方に向けたぶん、近隣には被害が及ばないはずだ。

また、ビルはコンクリートと鉄骨だけのスケルトンになっているようで、可燃性のものがほとんどなかった。

火災にはならず、内部から崩落する、と神野は見立てている。

被害は駐車場にとめてある『十文字実業』の車両ぐらいのものだろう。

第六章　官邸襲撃

1

運河にパラシュートで落下した神野と内川は、それぞれ景子とサトルを抱えたまま晴海サイドに向かって泳いだ。

晴海サイドの方が近かったのと緑地が広がっていたからだ。

佐々木のトラックも、風の流れを見て、すでに対岸に向かっていた。

ふたりを発見した佐々木をはじめとする組員たちが、次々と運河に飛び込み、サポートしてくれたおかげで、なんとか陸に上がることが出来た。

事務所に戻ったのは、午後八時前だった。

まずは景子と風呂に入った。

「お湯に流してくれないと……」

バスタブの中で景子は、すまなさそうな目で股間を洗っていた。膣に指を入れて、きゅっきゅっと音を立てながら洗っていた。

悪夢を拭いたいのだろう。

「極道が、いちいちそんなことを気にしていられるか。ただし、やった奴は、金玉が潰れることになるがな」

神野も一緒に湯に浸かっていた。すっかり冷えた身体が、ようやく温まり始めている。円形の巨大バスタブだ。何せ元はラブホテルだった組事務所だ。風呂は様々ある。

「あんたぁ。ほんとやっつけてね」

景子が湯面に浮いていた亀頭をパクリと咥える。こちらも冷えて縮んでいたのが、温かい舌で、一気に元気づく。馴染みの舌は、ツボを心得ていた。亀頭裏の三角地帯を執拗に舐められた。若い踊るような舌ではなく、ねっちょりとした三十女の、絡みつくような舌の動きだった。

ものの十秒としないうちに硬直した。

「清めの一刺しといくか」

神野は棹の根元を握った。湯面から垂直に、肉棹の全長をだす。色も形も長さもサラミソーセージのようだった。

「はい。女の穴を清めてくださいな」

景子が立ち上がり、対面座位の形で跨ってきた。

ぬるっ。

紅い肉襞に男根の尖端があたる。

神野は握った根元を揺さぶり、亀頭で小陰唇を擦った。

肉と肉が擦れ合う。

「あんっ」

湯のさらさらとした濡れ具合とは違う粘着質のとろ蜜が、亀頭にまとわりついた。

ねちゃくちゃと卑猥な音がする。

「あっ、あんた、その動かした方、いやらしすぎる……」

景子が身を捩り、みすから乳房を揉んだ。

「いやらしいことを、いっぱいしてきたんだろう」

亀頭を徐々に秘孔に向けながら言ってやる。

「そんなぁ。これでも私、傷ついているんですよ」

景子が珍しくしょんぼりした目になった。この鉄火女が、相当な恐怖を味わわされたようだ。

ようやく歌舞伎町に戻り、気持ちが落ち着いたところで、うるうるしだしたようだ。目に大粒の涙が浮かんでいる。

「そんなもの凌辱プレイだったたと思えば、どうってことないだろうがよ。三日間の出張プレイ。俺がバシッと料金を回収してやるよ」

慰めになったとは思えない。

だが極道にセンチメンタルは禁物である。泣いている暇があったら、取り返す算段をつける。

愚痴もいわない。俠は、黙って引き金を引く。それだけだ。

「あんたっ、絶対に回収してきて!」

景子に肩をバンバン叩かれた。

「わかった。一億ぐれぇでいいか」

「まぁ、それぐらいなら、やられたの納得する」

「だが、七分三分だぜ。お前は三千万で納得しろ」

どんなに惚れている情婦でも、金はきっちり取る。それも極道だ。女にただマンをさせない代わりに、ただ働きもしない。

「それで手を打ってもらえますか」

泣きそうだった女がにやりと笑った。金は痛みを和らげる特効薬だ。

——俺らは復讐よりも回収だ。

神野もにやりと笑い、ずいっ、と腰を突き上げた。

「あんっ」

膣袋の中に亀頭が入る。

「尻を下ろせ」

命令調で言う。

「は、はいっ」

景子の尻が下がり、膣袋が棹の全長を飲み込んだ。

「ああああぁ、いいっ、やっぱあんたのがいいわぁ」

アップにした髪が半分崩れ、顔をくしゃくしゃにした景子を、しっかり抱きしめ、下から、ズンズン突き上げてやる。膣がキュルキュルと締まった。果肉から蜜がしとどに溢れ、ピストンがしやすかった。

神野も久しぶりに昂(たかぶ)っていた。

このところ少し，飽き気味になっていた景子の身体が、とても新鮮に感じられたのだ。失いかけて、どれほど自分にフィットする女なのかを思い知った。

そこからバックの体勢に入る。

バスタブの縁に両手を突かせ、後ろ向きに尻を掲げた景子の乳房を抱え、クレバスを突きまくった。

「あっ、ひゃっ、はふっ、あんたのよすぎるっ」

景子は激しく尻を震わせたかと思うと、そのまま崩れ落ちた。バスタブの縁に顎を乗せ、肩で息をしている。

「お前をやったのは、さっきのあそこにいたサトルというマッチョマンか」

「ち、違うわよ。もっとなよなよした男。ED治療薬を飲んでいたみたいで、勃起は凄(すご)かったけど、攫ったわりにはおどおどしていた。あれは闇バイトに応募した、末端でしかないわ。んんんんっ。膣の中、全部、清めてくださいな」

景子の髪が総崩れになり、湯面に浮く。

「お前のポルシェのドラレコで確認したが、あのフィアットに乗っていた女は？」

「あれも末端のバイト。上のことは何も知らないと思う。っていうか、その二人自体、現場で初めて顔を合わせたんだと思う。どちらもキングって指令者から、すべてスマホで指示を受けていたしね。でもその女の方がきつかったわ。バイブでぐりぐりにされて、もうたまらなかったわ」

「キング？」

「そう。女は、キングが命じてるといっていたわ。スマホの相手よ。最後にそのキングとさっきいたサトルって男がやってきて、男と女を連れて行ったわ。サトルは私を爆死させるために残っていただけ。火薬を用意しているところで、一階が騒がしくなった。あんたが来なきゃ、私はコンクリートと一緒に木っ端微塵になっていたと思う」

キングは賀茂ということだ。

キングを忌まわしき悪者の象徴として用いているのであれば、合点がいく。

「ああ、あんた、早く、もっと擦ってちょうだい。何度も絶頂したいのよ」

景子がふたたび尻を大きく掲げた。

「おぉ」

神野は腰を送った。

鰓で柔肉のほうぼうを抉りまくる。膣は締まり、乳首は硬直した。

「あぁあああっ、いくっ」

景子が、ひと際甲高い声をあげた。その声に、神野もぐっときた。

「おぉおおおっ。出るぞ。ドバっとでるぞ」

唸(うな)り声をあげると同時に、太腿(ふともも)が痙攣(けいれん)した。溶岩のように熱い精汁を、盛大に噴き上げた。

「いくぅうううう」

景子の身体が伸びあがる。果てたようだ。しばらく繋(つな)がったまま、身体を重ねていた。

あちこちから、女の歓声が上がっていた。

ラブホテルを組事務所にしたのは、大正解であった。あちこちにやり部屋があるということだ。

神野と共に運河に浸かった内川は加奈とやっている。佐々木は里香と、だ。昼幕張で拾ってきた千恵子は、田村と後藤を相手に3Pをさせている。

一仕事、一セックス。大きな稼業から戻ったらまずセックスして、気持ちを切り替える。

それが神野組の仕来(しきた)りだ。

女たちの喘ぎ声に混じって、男の悲鳴も聞こえてきた。連行してきたサトルだ。

地下の仕置き部屋だ。

2

「生爪は剝がしておきました」

神野が地下室に降りると、ペンチを持った組員が、そういって会釈した。拷問担当の草川悠馬だ。

椅子に括りつけられたサトルは、両手の指先から血を流したまま、うなだれていた。

景子を救出するという本来の目的を遂げているのだが、行きがかり上、妙な企みを持っている極右の闘士を拾ってしまった。

極右でも極左でも、国家に弓を引く相手なら、ヤキを入れねばならないだろう。

「サトルは本名か？」

「はい、松川サトル。裏は取っています。元は体育教師ですよ。二十七歳。『湾岸エンゼル・モーターズ』の斎藤社長がかつていた高校の生徒でした」

そういう繋がりだったのか。

その横に夏生と寛子もいた。ふたりとも椅子に括られている。このふたりは、目隠しされているが、暴行はされていない。

隣で生爪をはがされるサトルの悲鳴を聞かせていただけだ。

拷問は心理戦である。

肉体的な痛みは、訓練していれば、耐えられるもので、死んでも口を割らない奴は、どうにもならない。

とくに思想や宗教のマインドコントロールをされた者は、拷問にも強い。面倒くさい相手だ。

極道はサディストではない。殴って、楽しんでいるわけではない。

聞き出したいことを吐かせるために暴力を使っているのだ。正直、極道は喧嘩も人を殴るのも、体力を使うので好まない。それは、素人が感情に任せてやる拷問だ。

内川から夏生と寛子は恋仲っぽいと聞かされていた。内川が寛子に手マンを試みた際に、あきらかに夏生は嫉妬の反応をしめしたという。

狙いをそこに定めた。

「『日本烈火党』なんて右翼は聞いたこともない。賀茂政蔵が作ったのかよ」

神野は夏生の右手を取った。爪を撫でる。夏生が、ガタンと椅子を揺らした。

「賀茂さんは街宣活動などという、売名的なことはしない主義だからね。本気で怒っている者は、わめいたりしたい。威嚇もしない。ある日突然、国をひっくり返す。俺たちはそれに共鳴して、参加している」

夏生が語った。冷静に答えているようだが、語尾が微かに震えていた。サトルが生爪を剝がされている悲鳴をたっぷり聞いているからだ。

続いて寛子の背後に回った。バストを鷲摑みにしてやる。

「あうっ」

「イケイケのねぇちゃんさ。乳首とクリトリス、千切られるならどっちがいい？」

神野が言うと草川がペンチの音を立てた。

「好きにしたらいいじゃない。どっちも要らないから」

寛子は強気だ。

「そうか。そしたら両手両足も斬って、アラブに売ってやる。そんな女にフェラをされるのが大好きな王様がたくさんいるんだよ」

出来るだけグロテスクな話をしてやる。

「寛子には手を出すな。俺が知っていることは話す」

夏生が叫んだ。心底惚れているようだ。こういうやつがいると助かる。

「夏生っ。こいつらを信用しないで。どうせ売ると言ったら売るんだから」

寛子は冷静だ。夏生のことをなんとも思っていないからだ。

神野は、草川に目配せした。

草川がサトルの鼻をペンチで摘まんだ。捻じ曲げる。

「あぁあああああああああっ」

耳を劈くような悲鳴があがる。恐怖を煽るための悲鳴はサトルに集中する。こいつは絶対に喋らないタイプだからだ。

「夏生君。俺たちは国からは暴力団と指定されているが、やみくもに暴力をふるっているわけじゃない。俺たちがいねぇと治安がままならないこともある。警察はよ、事件が起こってからしか動かないが、俺たちは一般市民に迷惑な悪党を事前に叩き潰している。悪党は悪党にしか潰せねぇってこともある。お前らのことも、悪党だと思ったから、潰しに行った。そうじゃねぇと知ったら、解放するさ。お前らは、ふたりで海外にでも行ったらいい」

神野は砂糖を撒いた。

「賀茂さんも、同じ気持ちだ。要領のいい悪党を叩き潰すには、悪になるしかないと。スーパー・キングの悪行をもう一度世間に思い出させて、徹底的に糾弾しないと、彼らはさらに悪事を重ねると。だから自分をキングと名乗った」

夏生が落ちはじめた。

やはり賀茂がキングだ。

「『豊洲NEWSビルディング』からロケット砲を発射して、国がひっくり返るのかよ。あんなエンピツみたいなものを飛ばしたって、屁でもねぇぜ。ガキが浜辺で、ジェット花火を飛ばしてはしゃいでいるようなもんだ」

「攪乱になるといわれた」

夏生が意外なことを口走った。

「ってことは、本筋は別所にあるってことだよなぁ」

「たぶんそうだ」

「たぶんってなんだよ」

「俺たちも全体像は知らない」

夏生は怯えたようで、震えた。本当に知らないらしい。殴っても何も出ないだろう。

「そもそも、娘をスーパー・キングにやられた私憤じゃないのか。それと天下国家を結びつけるのは、大げさすぎるだろうよ。やるなら、刑務所から出てきたサークルの首謀者や、幹部だった者たちをやればいいだろうよ。東名高速で事故を起こしたり豊洲のビルを爆破させて、一般人が巻き込まれたら、お前らもスーパー・キングと同じじゃねぇか」

神野は確信を突いた。

「逮捕されたのは、ごく一部でしかないからよっ」

いきなり寛子が叫んだ。

「どういうことだ?」

「二十年前、スーパー・キングで輪姦に関わっていた名門大学の学生は五十人以上もいるのよ。なのに逮捕されたのは、十人だけ。逮捕された人たちは、就職も出来なくなって、未来が閉ざされてしまったけれど、まったく影響を受けずにのうのうと一流会社で働いている人たちは、どうなのよ。私の母はOLだったときに、誘われたイベントについて行って睡眠剤入りのカクテルを飲まされたのよ。母を輪姦した男たちは、いま一流企業やマスコミ界の中堅社員になって相変わらずパーティ三昧の暮らしをしている。中には官僚になって、国を動かしている者までいるんですよ。これ許せますか!」

寛子が泣きじゃくった。

「確かに、虫のよすぎる連中だと思うが、だからといって不特定多数の一般人を巻き添えにするのは、本末転倒だろう」

「それは正論だわ。オフィスビルだった『豊洲NEWSビルディング』を買い取って新たに巨大ショッピングモールを作るのを仕掛けた『北急物産』の都市開発部の副部長も、かつてのスーキンのメンバーよ。あの土地のイメージを悪くしてこそ一矢報いるというものよ」

寛子は椅子をガタガタと揺らした。

「それでお前らのキングは、かつてのメンバーをひとりずつ潰そうというのか。どれだけいるんだよ？」

と、そこまで言って神野は、ふと『十文字実業』にあった若者たちの写真を思い出した。

あれは、二十年前のスーパー・キングに関わっていた連中の写真なのではないか。

「知らないわよ。私らを殺すなら殺しなさいよ。どうせあんたらもヤクザ。スーキンの連中と同じ穴の貉(むじな)よね！　ろくでなし！」

寛子が目隠しされたまま、唾を吐いた。

神野は寛子の頬を平手打ちした。拳ではなく張り手だ。

「知ったような口を叩くな。ヤクザは世の中に要らない人間をさす言葉だ。俺たちは極道。人としての道を極めようとしている。一緒にするんじゃねぇ」

言い終えると夏生に向いた。

「他に仕掛けようとしていることはなんだ？」

「本当に知らないんです。自分たちは『豊洲NEWSビルディング』に火薬とロケットランチャーを仕込むことだけに専念させられていました」

夏生が震えながら言っている。嘘ではないだろう。

最後にもう一度サトルの前に立った。全貌を知る立場にいるのは、この男ぐらいだろう。

「気持ちはわからねぇでもないが、スーキンの元メンバーを告発するとかっていう手もあったんじゃねぇか」

神野は声のトーンを和らげ聞いた。

サトルが血だらけの顔を上げた。

「そんなことをしても、次の世代のスーキンは生まれるさ。賀茂さんは本当は官僚を担いでこの国を変えたかったそうだ。だがその希望が断たれた。あの人にとっては、二十年前のスーキン事件だけが恨みじゃない。五十年前までさかのぼる」

「どういうこった？」

　神野は腰を折って聞いた。

「口が裂けても言えねぇ。賀茂さんが二十年かけて、準備したことを無には出来ない。俺が言えるのはここまでだ。煮るなり焼くなりしろよ」

　サトルがそう言って虚空を見た。

　この男はこれ以上は言うまい。だが、ヒントは言った。充分だ。追い詰めると舌を嚙むタイプだ。

「事が済んだら、お前のことは、マフィアルートでウクライナへ送ってやる。ロシアと闘え」

　殺しはしないという意味で、そう伝えた。サトルはそれには答えず、薄ら笑いを浮かべて、天井を見上げた。

「草川、こいつらはしばらく監禁だ。生かさず殺さずにしとけ」

3

午後十時。組長室。

神野は内川、後藤と『十文字実業』で発見した若者たちの写真を点検していた。

後藤がアップして見られるようにパソコンのデスクトップにセットしなおしてある。

内川のスマホが鳴った。特攻隊の星野からだった。

豊洲のビルからフィアットの男女を乗せて出て行った賀茂をビッグスクーターで追っていた特攻隊員だ。

「賀茂はいったん千葉の『十文字実業』に戻りましたが、たったいま、セダンに乗り換え、再び東京に向かっているようです。ほかにトラック五台が出て行きましたが、どうもあのヤードを畳んだようです。星野が倉庫のシャッターが開く瞬間を見ましたが、もぬけの殻になっているそうです」

内川がスマホを抱えたまま、血走った眼を向けてきた。

「どこにたどり着くのか追わせろ。絶対に逃すな」

神野は吠えた。

「はいっ」

星野に伝え、電話を切ったとたんに、また鳴った。

内川が出て話を聞いた。

「『湾岸エンゼル・モーターズ』からも、すべての陳列車が出て行ったそうです。オフィスに閉店の張り紙がしてあると。これは、エルグランドで張り付いていた松浦からの報告です。斎藤勝也らしい人物が乗るトヨタのエステマを追っているとのことです」

「一気に勝負をかける気だな。何を企んでいやがる」

神野は苛立ちながらも、若者たちの写真に視線を戻した。五十枚ほどある。二十年前の顔写真だけで、素性を洗うのは難しい。

「いま、スーパー・キングの中核だった大学の、この年代の卒業アルバムを集めさせています。そいつがあると顔認証でとれるでしょう。八十パーセント以上マッチングできたら、ほぼ確定ですよ。氏名が判明すると、そこからの追跡は早いです」

「ＡＩとやらの進歩は、時間を一気に縮めてくれるものだな」

「それとおやっさん、当時のスーキンのケツモチをしていた六本木黒鵬組の残党に話を聞きましたが、イベントには北急エージェンシーが中心になって、さまざまな企業から協賛金を集めていたそうです。いまほど、ネットが進んでいなかった時代なので、大学生の口コミは企業ＰＲにかかせなかったようです。黒鵬組も闇イベントを仕掛けては、スーキンに券売をやらせていたようです」

「どんなイベントだったんだ」

「ＣＭ撮影や映画の宣伝に来日したハリウッドスターをプライベートにクラブにこさせるんですよ」

「早い話が、裏スケの国際版かよ」

「そうです」

　裏スケとは、有名芸能人やスポーツ選手のプライベートスケジュールを営業に使うことだ。

　事務所を通さない闇営業である。

「トップスターをプライベートで遊ばせるためにプロモーターがクラブに連れて来るのですが、そうしたときのセキュリティも黒鵬組はやっていました。当時はまだ極道が公然とボディガードを出来た時代ですよ。そこで、そのスケジュールを把握している黒鵬組は、スターに会わせてやる、といって十万円単位のチケットをスーキンに押し付けていたわけです。たしかに会えるかも知れませんが、遠目で見るのが関の山です」

「いい時代だったな」

「スーキン事件後も、逮捕をされずに社会に出た連中は、この手のイベントを仕掛けては、副収入を得ているようです。ヤクザは介在させずに、自分たちのルートをうまく生かして、儲けているんですよ。それで得た金でベンチャー企業を立ち上げ成功した者もいる。いまでも女は食い放題らしい、と」

賀茂政蔵でなくとも怒りが湧いてくる話だ。

「組長、総長の到着です」

扉の前で、当番の声がした。

一同は立ち上がった。

すぐに関東舞闘会総長、黒井健太が入ってくる。日本侠客界のヒガシの首領が、大股で入ってきた。

「景子ちゃんが無事でよかったな」

「恐れ入ります。たかが情婦のことで、ご心配かけました」

応接セットの上座を進め、神野はその前に座った。内川と後藤は、退出させた。

サシの話では、黒井と神野は警察の人間に戻る。

「おうっ、取り返すと思っていたから心配はしていねぇさ。襲った奴は、極右だと?」

「そうですが、根は私怨のようです」

神野は昨日から今日にかけての動きを説明した。『日本烈火党』と名乗っていることも伝えたが、そんな組織は警視庁も把握していないという。

「豊洲の火災は、おめぇかよ」

黒井が笑う。

「はい。不細工な潰し方で申し訳ないです」

神野は頭を掻いた。

「公安部が、テロ容疑で捜査を開始した。組対部長の小野さんからは騒動を大きくしたくないので、先回りをしろということだ」

「はい、闇で潰したいのですが、どう動くかがまだ見えません。ひょっとしたら明日にでも、大きなテロが起きるかもしれないです。実行には闇バイトで雇った人間を使ってくると思いますが」

賀茂と斎藤が、今夜動き出したことを伝える。黒井が口をへの字に曲げた。

「実をいうと、四日前に前園官房長官の甥が攫われた。攫われたというよりも、みずから闇バイトのアプリに引っかかって、釣り込まれたようだ。賀茂の手口を聞いて、ひょっとしてと思うが、まさかな……」

と黒井がスマホの画像を見せてくれた。

細面の色白の男が映っている。二十代後半ぐらいだ。

「総長、スマホ、ちょっと借りていいですか」

「おうっ」

神野は画像を自分と景子のスマホに転送した。

五秒で、景子から電話が来た。

「その男だよ。私に挿し込んだのは。あんた見つけてくれたのね。早いわね。金玉をくり抜いて来て！　私が踏み潰すから」

半狂乱になって喚いている。その声は黒井にも聞こえていた。

「わかった。持ってきてやる。心配するな」

宥めるように言って電話を切った。

「女房孝行なこった」

「いや、すみませんっ。あんまりうるせぇもんで」

と黒井にスマホを戻したところで、そのスマホが震えた。

液晶に小野順久と出ていた。刑事局組織犯罪対策部のトップからの直電だ。

「はい、黒井です。……えっ」

スマホを耳に当てたまま黒井が、壁にかけたテレビに顎をしゃくった。神野はすぐにスイッチを押す。

二十三時のニュース番組が映った。

「東京、青山にあります大手広告代理店『北急エージェンシー』の正面玄関に大型トラックが突っ込み、大炎上しています。トラックの荷台には灯油のポリタンクが相当数積んであった模様で、それに引火したことにより大炎上に広がったと警察、消防はみています。ただいま消火作業中です」

女性アナウンサーが早口で言っている。

「おぉ！」

神野は声を上げた。

画像に映るトラックはバックから入っており、フロントグリルが見えるのだが、そこに大きく『運輸・神野組』と書かれていた。

「わかりました。すぐにカタをつけます」

黒井が電話を切った。

テレビの女性アナウンサーが続けている。

「……本日午後六時過ぎにも、豊洲で解体中のビルの火災がありましたが、放火の疑いがあり、警察は関連性について調べをつづけています」

「神野、主力を連れて移動しろ。ここは小野さんの手の内の者だけで捜査がはいる。どこかの組が濡れ衣を着せたことで纏めておくそうだ。お前らは早く賀茂を潰してこい」

黒井が言った。

4

早朝になった。

神野は完全にキレていた。

「賀茂は見つかったか！」

新宿三丁目のの『神野金融』の会議室に陣を移した神野は、内川に怒鳴った。

「はい、賀茂のトラックは、都内の一般道をあちこち走り回っているようですが、どこにも止まらないのです。他のトラックも同じです」

内川がスマホを三台並べて、そう答えた。特攻隊がバイクやビッグスクーターで手分けして追跡しているが、どのトラックも止まらないというのだ。

北急エージェンシーに突っ込んだトラックは別なところから出てきたようだ。

──揶揄われている。

そんな気がした。

賀茂は、一昨日『十文字実業』に神野たちが乗り込んだのを把握していたのではないか。それを逆手にとって、動いている。

腹が立った。

「おやっさん。大手町の『三津川商事』でも爆破事件が起こったようです」

後藤が隣の部屋から飛び込んできた。

「なんだとぉ。また別なトラックか」

「いいえ。今度は、ビルの社員用ロッカーに時限爆弾が仕掛けられていたと、テレビが言っています」

神野もすぐにテレビをつけた。

朝六時から始まっている朝ワイドだ。

「繰り返します。本日未明、大手町の三津川商事にて爆破事件がありました。社員ロッカーの爆破で、警視庁が原因を調べております。次のニュースです。前園官房長官は次期民自党総裁選への出馬については、否定しておりますが、民自党関係者からは、総理の支持率が低下していることから待望論があると……」

と、男性キャスターが原稿を読んでいる。

「そんなもの、内部関係者に決まっていますよね。そうやすやすと大手商社の社員ロッカーに忍びこめる奴なんていないっす」

後藤がテレビを見ながら言っている。

神野は考えた。

「そうだ。内部に精通している者の仕業だ」

すぐに黒井へ電話する。

「総長、すみませんっ。いまニュースで流れている三津川商事の爆破事件、警視庁に当たれますか」

「俺もピンときた。もう捜査一課（ソウイチ）が走っているはずだ。待て」

黒井も同じことを考えていたようだ。

「おやっさん、どういうことですか？」

後藤が首を捻った。

「賀茂が、元スーキンのメンバーを脅しているんだ。やらなきゃ、過去をばらすと」

「えっ？　三津川商事の社員ですか」

「いや、仲間だろう。社員じゃ直接過ぎる。スーキン時代の仲間に、会社に入る方法を手引きしてやらせたんだろうな」

まだ仮説の域をでないが、神野はそう推理した。

スマホをチェックしていた内川が声を張った。

「賀茂のトラックが高田馬場の工事中のビルに入りました。太陽大学の目の前ですよ」

「奴の最終目的は、そこだ。太陽大学にロケットランチャーを撃ち込むにちげぇねえ。内川、ファットボーイを借りるぞ」

神野はヘッドセットをつけて会議室を飛び出した。

「うちらも行きます」

内川が特攻隊の全車両に高田馬場へ向かうように指示をだす。

新宿通りをひた走っていると、神野のヘッドセットに黒井の声が届いた。

「捜査一課(ソウイチ)が動いているのは、毎朝新聞の経済部記者、本橋士郎(もとはししろう)だ。三津川商事の広報課長の大江敏夫(おおえとしお)とは太陽大で、同期だ。スーキンのメンバー同士だろうが、ソウイチはそこまで把握していない。本橋が記者として三津川商事に出入りしている入館記録の中から割り出した。昨日の夕方、やってきているが取材した形跡がないんだ。いつも応対する大江はその時間にいない。記者が通るはずのない社員ロッカー室の前をうろうろしてる様子が防犯カメラに映っていたそうだ。同時多発的に、爆破テロが起こるかも知れんな」

　黒井が渋い声で言っている。

「間違いなく、賀茂が操っていますね。奴は太陽大を爆撃するつもりですよ。いま自分らが向かっています」

「それとな。賀茂にはもうひとつ太陽大学に恨みを持つ理由があった」

「なんですか」

「賀茂は、昭和四十七年入学だ。その年に太陽大学では、スーキン以上の事件があったんだ」

　黒井がそのことについて話を始めた。

聞きながらまだ朝もやに煙る大隈(おおくま)通りに入る。

サトルが言っていた五十年前からの恨みの意味がわかった。

「了解しました」

朝陽を受けながら走ると、太陽大学の記念講堂を挟んだ通り沿いに建設中のマンションがあった。

まだ鉄骨が組みあがったばかりの状態だ。建設作業員はまだいない。ここもおそらく『十文字実業』が何らかの形で絡んでいたのだろう。

ファットボーイを止める。すぐ後ろに、内川のフォード・エクスプローラーが到着した。

灰色のスチールフェンスに四方を囲まれていたが、すぐに内川部隊が、大型ハンマーで打ち壊した。

「内川っ、飛び道具の武器はあるか？」

「釘打ち機でいいっすか」

「おうっ」

ガンスタイルの電動釘打ち機を受け取り、神野はフェンスの中に飛び込んだ。同時に上方から、砂利が降ってくる。鉄骨に跳ね、乱れ飛んでいる。

コルクヘルメットをつけたままなので平気だった。

「くっ」

見上げると、鉄骨の骨組みの中腹ぐらいに鉄板を敷き、その上にロケットランチャーを抱えた賀茂と、模造拳銃を持った斎藤の姿があった。

ロケット弾は三基ある。

その周りに五人ぐらいの男たちがいるが、全員、ハロウィンのような面をつけていた。

いずれ闇バイトサイトで雇った素人だろう。ちょろそうだった。

「戦国時代じゃねぇんだ。もっとまともな攻め方があるだろう！　それともまだ学生運動の気分が抜けねぇのか」

神野は、拾った石を投げ返した。

「ちっ。邪魔するな。お前らのおかげで、予定を早めねばならなくなった。本当は文学部校舎をぶち壊しかったのになっ」

賀茂のどす黒い声が降りてきた。

「あぁ、そうだろうな。あんたが入学した年に、文学部校舎で内ゲバがあった。事故死になっているがリンチ殺人とも言われているんだってな」

黒井から聞いた事件を叫び返した。

い。

五十年前にあった太陽大内ゲバ事件は、いまだにその真相が明らかになっていな

「あぁ、そうだ。俺は空手部で、学内の過激派を潰す役目をしていたんだ。あの日もたまたま、対立する二大過激派を引き離すために、ロックアウトを崩しに行ったんだよ」

賀茂が五十年溜めていたものを絞りだすように声を張り上げた。

「それなのに賀茂政蔵は、警察にリンチの一味としての疑いをかけられたんだな」

「極道のくせによく調べたな」

「ああ極道は地獄耳だからな」

「おかげで、俺は中退する羽目になった。逮捕もされなかったが、噂が立ったおかげで人殺しの目で見られた。当時の教授たちが内ゲバがあったとはしたくなかったからだ」

「ああ、それも知っているよ。大学側が片方の派に肩入れしていたことが、バレたくなかったからだろう。その日は多くの体育会の学生がロックアウト阻止に入った。ヘルメットを被った学生と学生服を着たあんたたちが揉み合う姿だけがクローズアップされた。なかでも喧嘩が強かったあんたは目立った」

神野は賀茂を宥めるように、ゆっくりとした口調で言った。賀茂の気持ちが、理解出来るのだ。それがたとえ誤解であっても、一度貼られたレッテルを剝がすのは容易ではない。世間は、火のないところに煙は立たないと決めてかかる節がある。そんなことから、やむなくドロップアウトせねばならなくなった者は多く、極道界は、そんな連中の受け皿ともなっている。

「そうだよ。濡れ衣を着せられたのさ。いづらくなった俺は、官僚になることも大企業に就職する道も断たれて、歩合制の住宅販売会社で営業になった。金を貯めて起業してやろうとね。やっとの思いで建設設備会社を興した。しかし、公共事業に入るには既存会社優先の壁に挟まれた。入札なんて形だけじゃないか。運送業だって同じだ。実績がないとさまざまな認可が下りない。結局は大手の下請けしか出来ない。それがこの国の既得権益を守るシステムだ。ハードルが下がったのは、ほんの十年ぐらい前からじゃないか。すると今度は、ベンチャーだ、グローバル化だといって、いきなり新興勢力が台頭してくる。それだってほとんどが政治家や役所の権益優先なんだ」

　賀茂は吠え続けた。

「腹が立つよなぁ。あんたらは割を食った世代だ。けど大学を爆撃するのはだめだろう。七十の爺さんが、ガキみたいに癇癪を起こすんじゃねぇ」

「ふんっ。三十そこそこのお前に何がわかる？　俺はな、その母校の後輩に娘までやられたんだ。許せるかよ」

「それでも爆撃はダメだな。そもそものロケットランチャーじゃ、大学内まで届かねえ。手前の商店やマンションの住民が被害を被るだけだ」

神野は腕時計を見た。

午前七時を回っている。一般人が目覚める時間だ。

「説教はそこまでにしろよ。無辜の人たちを巻き込みたくないから、この時間にしたんだ。創立者の銅像と記念講堂はぶっ飛ばす。射程距離は充分だ」

賀茂が片膝を突きロケットランチャーを構えた。

「やめろ！」

神野は作業用に組まれた簡易階段を上った。内川も上ってくる。

「賀茂さんを止めるなっ」

斎藤が拳銃のトリガーを引いた。弾丸が飛んでくるが、カーブが大きい。

「銃身の作りがあめぇな。ギンダラを三丁ぐらいなら売ってやるぜ。一丁五十万に負けておく」

内川がまくし立てた。ギンダラとは極道の世界では、銀のラッカーを塗ったトカレフを指す。旧ソ連製のもので、近頃は大量に横流しされている代物だ。

「余計なことをいうなっ」

斎藤がもう一発撃ってきた。今度は神野の腕を掠(かす)めた。

「頭に来たぜ」

神野は、距離が足りないのを承知で釘打ち機を乱射した。カンカンカン。鉄骨に当たる音がする。

斎藤が及び腰になる。素人には音だけでも威嚇になるものだ。

「勝也君。放っておきなさい。俺は、もう覚悟が出来ているから。清美を頼むな」

そういうと賀茂はロケットランチャーのトリガーを引いた。

オレンジ色のマズルフラッシュがあがり、白煙をたなびかせながら、細いロケット弾が飛んでいった。二十年かけただけあって、こいつは精密だった。

神野はさすがに脱力した。

間に合わなかった。

遠くで銅像が砕け散るのが見えた。

「賀茂っ、てめぇ」

神野は階段を駆け上がった。

賀茂はすでに二発目を装着していた。

「おやっさん、俺が仕留めますよ」

内川がカラーボールを取り出した。防犯用のやつだ。砕けると悪臭を放つ。神野組は武器はすべて市販品でそろえている。

そのカラーボールが投擲(とうてき)された。

賀茂の背中に当たる。紅い色が飛び散った。だが一瞬早く、賀茂はトリガーを引いていた。

ドカン。

再びロケット弾が飛んでいく。今度は記念講堂に当たった。轟音(ごうおん)と共に木や煉瓦(れんが)の破片が飛び散り、白煙が上がった。

歴史的建造物にどでかい穴が開いたようだ。

「てめぇ」

釘打ち機を、マシンガンのように打ちながら、神野は奴らと同じ階にあがった。鉄骨の上に渡した鉄板を駆けていく。

カラーボールが割れ、辺り一面に悪臭が広がった。鼻がもげそうな廃棄物のような臭いだ。

「来るな！」

そう叫ぶ斎藤も噎せている。

周りを固めていただけに過ぎなかった仮面の連中も、しゃがみこんで、げぼげぼと、えずいている。全員仮面をはずした。

中にフィアットに乗っていた男女がいる。男は前園官房長官の甥だった。

「それ以上近づくと、官房長官の甥を撃ち殺すぞ」

斎藤がなよなよした男に拳銃を向けた。

「そんなやつ、殺しちまえ。撃つなら金玉を撃てやっ。俺の女をやりやがったんだ。どのみち許しちゃおけねぇ」

神野はかまわず走った。斎藤は逡巡していた。人を殺したことのない者はそんなものだ。

「助けてくださいっ。叔父に言って、なんでも便宜を図らせます」

前園の甥が泣きながら言っていた。

「ホストになって一億稼げっ」

「は、はいっ」

神野は、鉄板を蹴った。

上段の鉄骨を片手で摑んだ。そのまま反動をつけて、斎藤に向かって飛んだ。

「邪魔するな。もう一発で、記念講堂も燃え上がるのさ」

賀茂が三発目を装着し終え、こちらを向いた。ロケット弾の弾頭が向いている。

さすがにあいつは躱せない。

そのときだ。

思わぬことが起こった。

フィアットに乗っていた女が、賀茂の腰を蹴った。

「んっ？」

賀茂は、悪い夢でも見たような顔をして、宙に舞った。

足をばたつかせながら、トリガーを引いた。ロケット弾が、真上に向かって飛んだ。鉄骨の上層部に当たる。

大きく揺れた。

斎藤が転ぶ。

神野はタックルした。

「あんたは死んだらまずいだろう」

真下に落下し、コンクリートの上でバウンドしている賀茂を眺めながら、そう言い聞かせた。

「お義父(とう)さん……」

斎藤は肩を落としている。

「どうせ死ぬ気だったんだ。あのおっさんのことは、俺らが黙っていてやる。あんたは、かみさんを死ぬまで守るんだな。このことは、表に出ない」

神野がいうと、斎藤はわなわなと震えていた。

「急いで撤収だ。この男と女は連行するが、他の奴は帰れ。今日のバイトはなかったと思うんだな。口に出したら死ぬと思え。お前らの顔は撮影してあるし、キング賀茂に渡した個人データも俺らが抜き取った。いいな。沈黙は金だと思え」

男たちは、頷(うなず)き、急いで降りて行った。

神野はフィアットの男女だけを連れて、フォード・エクスプローラーに乗り込んだ。

「名前は?」

「前園隆史(たかし)です。何でもやります」

「おう。お前を歌舞伎町のホスクラに売るからな」

　そのまえに、組事務所で景子に金玉蹴りを受けることは、言わないでおく。神野は女を向いた。

「原田由紀といいます。ダンサーです。ホスクラで借金して、つい闇バイトに手をだしたら、東名で発煙筒をしかけるようにいわれまして。こんなことになるとは」

「ダンサーか。だったら明日からストリッパーだ。俺たちに対するオトシマエは、金を作ることしかねぇんだ。ただし、うちらは合法的なことしか、勧めねぇ。覚悟があるならAVをやれ。その分早く年季があく」

「AVを選択します」

　女のほうが腹を括るのが早い。

　大久保通りから歌舞伎町に向かう。

　内川がテレビをつけた。

　東洋テレビのニュースだ。

「総理官邸です。総理が衆議院を解散、総選挙に踏み切るようです。総理が間もなく会見するもようです」

　そんなナレーションが入り、官邸の前が映し出された。

各社の政治部記者がうろうろしているのが映った。東洋テレビの女性記者もいる。おとといも見た顔だった。

――妙に既視感のあった女。

神野の頭に電撃が落ちた。二十年前の写真にあった顔だ。スーパー・キングで輪姦用の女子大生を勧誘していたのは男ばかりではない。

神野は女性記者を凝視した。表情が暗い。他の記者とは混じらず、玄関の前に立っていた。

「おいっ。永田町(ながたちょう)に回れ。官邸近くで俺だけ降りる」

黒井に緊急メールを打つ。部下たちには知られてはならないことだ。

5

内閣府庁舎の前で神野はフォードから飛び降りた。

官邸と通りを挟んだ向かい側にある煉瓦づくりのレトロな庁舎だ。

――それにしても迂闊(うかつ)であった。

真夜中の間ずっとトラックで動き回っていた賀茂は、神野たちを、あえて自分たちだけに引き付けていたのだ。

賀茂の本当の狙いは、総理暗殺だ。

午前八時十五分になっていた。

神野は焦った。

フォード・エクスプローラーが青山通り方面へと走り去る姿を見届けて、神野は内閣府庁舎の守衛に警察手帳を提示して、中に入った。

手帳には『警視庁組織犯罪対策部特殊工作課刑事・神野徹也・階級——巡査』とある。潜伏工作先では極道の組長だが、警視庁での階級は、一番下の巡査だ。

途中入庁で、潜入捜査員採用なので、昇進試験を受けることもなく、このまま退職日まで巡査であろう。

黒井からは満六十歳を過ぎた次の三月三十一日まで、身分は保証されると言われたが、まだ三十年以上も先のことだ。

生きている保証の方が少ない。

だが極道を四十年近くもやって退職金まで貰(もら)えるのは悪い気がしない。組の基金になる。その後も、公務員年金をくれるというのだから、生涯極道人生にも、身が入るというものだ。

薄暗いエントランスに黒井健人と刑事局組対部長の小野順久が待っていた。

「官邸へは地下通路を使う」

黒井が言う。

そんなものがあるなど知らなかった。

三人は急いで、庁舎の裏へと走った。非常用の鉄扉を開けるとさらに奥に通路が繋がっていた。十メートルぐらい進むと、さらに鉄扉がある。その前にはパイプ椅子にかけた守衛が座っている。

警視庁警備部のSPだ。

「警察庁の小野だ。国家公安委員長の代理で、官房長官に極秘連絡がある」

「小野警視監。存じ上げております」

小野が警察手帳を翳(かざ)すと、守衛はすぐに起立し鉄扉の鍵を開けた。そこは踊り場のようなスペースになっており、左側に地下に降りる階段があった。

官邸の正面入り口は、総理と官房長官が執務室に滞在している限り、マスコミが張っている。

入邸、出邸の際も同じだ。

総理の一日は各新聞社が必ず分刻みで掲載しているほどだ。

そのうえ総理も官房長官も、外での行動もほぼ二十四時間記者に追われているのだ。誰と会ったか。休日はどんなふうに過ごしたか。

「堂々と会えないが、重要な案件を抱えた人物は、この通路を使って誰にも気づかれずに、総理執務室、官房長官執務室に向かうのだ。たとえば防衛省の制服組が、他省庁の官僚に知られたくない機密情報を上げるとき。裏取引があるのではと、勘ぐられそうな政商と呼ばれる民間会社のトップたちも同じ」

小野が先導しながら説明した。

「それだけじゃないでしょう」

黒井が皮肉交じりにいう。

「総理や長官がこっそり外出する時も使う。対外的には官邸で執務していたことにしてな。それも機密事項だ」

小野が渋い顔になった。

「でしょうね。官邸にデリヘルを呼ぶわけにもいかないでしょうしね」

神野がそう言った。組にやり部屋を持つ、自分たちは幸せだと思う。

「そういうことで、外出はしない」

小野の声が尖った。

いま歩いている地下通路は、内閣府と官邸の間にある道の真下だ。さらに進むとエレベーターがあった。

「これは五階の執務室直行エレベーターだ」

小野がボタンを押す。

「うちらは一階でいいんですが」

神野は時計を見ながら言った。午前八時二十分だ。時間がない。

「だから、このエレベーターは五階へ直行しか出来ないんだ」

小野が目くじらを立てた。

「そこからは記者たちにも見えるエレベーターで降りるが、他の官邸職員に紛れて降りるから、気づかれないだろう。エントランスのプレスゾーンの記者たちは、総理が入ってくる方向にカメラを向けているから。東洋テレビの沢尻香織もそっちを向いているだろう。問題は何をもっているかだ」

黒井が言った。

「官邸の職員もこの事態を把握をしていないんですね」

神野は確認した。

「官邸内で総理を殺害するなどＳＰも想像していないだろう。それも顔なじみの記者が、狙っているなんてな。黒井も神野も、とにかく穏便に頼むよ。なにせ公安（ハム）にも内情（サイロ）にも伝えていないんだ。官房長官だけ承知している」

「それだけスーパー・キング事件を蒸し返して欲しくないのですね」

「内ゲバ事件もふくめて両方だ。パンドラの箱を開けられては困る。内ゲバ事件にかかわってのち保守に転向し政治家や官僚になった者も多ければ、スーパー・キング事件に連座していた連中は、いまや企業の中堅を担っている。いずれ幹部だ。政界に出ようとしている奴らもいる。ここでそんなことを暴露されたら、さまざまな政府プロジェクトが暗礁に乗り上げることになる」

小野がそう言うとエレベーターの扉が開いた。

——腑（ふ）に落ちねぇが、自分はいま国家の側の人間だ。

まとめるしかあるまい。

エレベーターが開き三人で乗り込んだ。

「官房長官には、甥っ子さんは確保したと伝えてある。一番安心な組織で再教育することにも承諾を得ている。前園家の直系になにかあれば、甥御さんが地盤を継ぐこともありえる。根性を鍛えてやって欲しいそうだ」

小野がそう続けた。

「そっちは任せてください」

エレベーターが五階に到着した。日本のトップが執務する部屋のすぐ脇で扉が開いた。

「総理の到着は午前八時三十分だ。五分でカタをつけてくれ」

「なんとかします」

神野と黒井は並んで、中央エレベーターへと向かった。五階のエレベーター乗り場は、吹き抜けのエントランスから見えるようになっている。

官邸正面玄関は実質は三階となる。

逆にこちらからも、プレスゾーンがよく見渡せた。

東洋テレビの沢尻香織は小型HDビデオカメラを右手に握っていた。グレイのスカートスーツだ。局のカメラマンは別にいる。

沢尻香織の隣に毎朝新聞の腕章をつけた記者がいた。同じぐらいの歳(とし)に見える。沢尻はこの記者と談笑していたが、顔が微(かす)かに強張(こわば)っていた。

「エントランスの周りは日本庭園ですね」

「庭園への出口は二階になる」

黒井が答えた。

「わかりました。たぶん、ひとりのほうが動きやすいので、ちょっくら行ってきます。黒井主任は、出口待機でお願いします」

小野の手前、黒井を正式な肩書で呼んだ。

「わかった。救急車をつけておく」

「では」

神野はふたりの上司に会釈し、エレベーターに乗り込んだ。補佐官や官邸職員十人ぐらいに紛れて降りた。

三階エントランスに降りると、神野はさりげなくプレスゾーンに向かった。

東洋テレビの沢尻の背後に付く。

「青木(あおき)さん、そろそろですかね」

隣の毎朝新聞の記者に語りかけている。

「総理は公邸から出てくるから、遅れることはないさ。沢尻君、ハンディカメラなんて珍しいな」

毎朝の記者が聞いた。

総理を乗せた車が、エントランスにゆっくり向かってきた。同じ敷地内の公邸からなので一台だけだ。

「うん。カメラマンの他にも、記者が予備撮影することになったのよ」

と沢尻は小型ＨＤカメラを掲げた。

総理の車が車寄せに入ってくる。徒歩でも可能な距離だが安全面を考えて公用車でやって来るのだろう。

記者たちは、一斉に公用車のほうを向いた。香織はカメラを掲げた。レンズの上から銃口が伸びてきた。やはりカメラを装った模造銃だ。

神野は香織のスカートを背後から捲った。パンストは穿いていない。ライトブラウンのパンティが見えた。いきなり人差し指でクロッチをなぞり、クロッチを外に寄せる。

「えっ、ちょっと」

カメラを構えたままの香織が振り返った。神野と目が合う。呆気にとられた顔だ。

瞬間、神野は人差し指を蜜壺に押し入れた。

「んんんんっ」

脚をＸに寄せる。

秘書官が公用車に近づき、後部席の扉を開けた。総理の足が見えた。記者たちの視線はその一挙手一投足に注がれている。

「キングはいなくなったよ。だからトリガーを引く必要はない。家族にもあのことはバレない」

言いながら、神野は膣に挿し込んだ指を動かした。鉤形に曲げて、Gスポットを擦り立てる。

「あなたは？」

「そんなことはどうでもいい。それよりここで、お漏らしして、大恥をかきたいか」

香織は顔を引き攣らせ、激しく首を振った。

「キングは？」

掠れるような声で訊いてきた。

「死んだ。そのこと自体、公にはならない」

そう言うと香織は安堵の表情を浮かべ、カメラを降ろした。

総理が颯爽と右手を上げて、エントランスに入ってきた。テレビでよく見るアングルだった。そのままSPや秘書官に囲まれてエレベーターへと進んでいく。

「だからといって、あんたのやったことは許されることじゃない。俺がその債権を買い取った」

香織のま×こをぐいっと引っ張った。

「えっ、ひっ」

「そのカメラを寄こせ」

香織は素直にカメラを渡した。膣口から指を抜き、カメラを奪う。実際は銃だ。

そのトリガーを握り、レンズを香織の背中に突き立てた。銃身はひっこめてある。

「二階に降りろ」

「はい」

沢尻香織は素直に先に歩き始めた。

「日本庭園に出ろ」

「えっ」

「いいから出ろよ」

総理官邸の名物でもある日本庭園に出た。外国の首脳たちにも人気がある名園だ。

壁際に大きな林がある。

神野は、その中に香織を連れ込んだ。

「二十年前、賀茂清美を六本木のクラブイベントに誘ったのはお前だな。その木に
手を突いて、自分でスカートを捲れ」

「ひっ、はい。まさか、あんなに大勢でやるなんて思っていなかったのよ」

「東洋テレビの人事課や報道局の若手もいたというじゃないか。お前はそれでいまのポジションを手に入れたんだろう」

ここに来るまでの間に、黒井が調べ上げていた。

香織の生尻を割り広げ、にゅわっと出てきた紅い渓谷に、神野は男根を挿し込んだ。

「あぁああ、なんてとこで。ここ総理官邸ですよ」

「それがどうした。お前らはクラブの入ったビルの踊り場や、カラオケボックスでさんざんやったと言うじゃないか」

ずいずい出し入れしながら、スマホで撮影した。

「賀茂は死んだが、あんたのことは一生強請ってやる」

「んんわっ、はい、何をすればいいですか」

「当時スーキンにいて、いまなおのうのうと利権ビジネスをしてるやつらの名前をすべて書き出せ」

「わかりました。あっ、ひゃっ」

香織が絶頂し過ぎて倒れそうになるまで、犯し続けた。

これから、香織が書いたリストに沿って悪党たちを成敗してやる。
賀茂の気持ちはわかる。
だが、素人が悪党に立ち向かうのには限界がある。
——代わって極道が、成敗してやるよ！
悪を潰せるのは正義じゃない。悪だ。
神野は空に向かってそう吠え、射精した。
日本の権力のど真ん中で、射精する気分は最高だ。

（了）

本書は書き下ろしです。

本作はフィクションであり、実在の個人・団体とは一切関係ありません。（編集部）

実業之日本社文庫　最新刊

堂場瞬一
チームIII　堂場瞬一スポーツ小説コレクション
スランプに陥った若きエースを救え！　箱根駅伝「学連選抜」の伝説のランナーによる規格外の特訓が始まった――名手が放つマラソン小説の新たな傑作！

と118

西村京太郎
愛の伊予灘ものがたり　紫電改が飛んだ日
幻の戦闘機の謎を追った男はなぜ殺されたのか？　四国松山で十津川警部が解き明かす、戦争が生んだ悲劇と事件の驚きの真相とは――!?（解説・山前 譲）
に129

東野圭吾
白銀ジャック　新装版
ゲレンデに爆弾が仕掛けられた。人質はスキー場にいるすべての人々。犯人の目的は金目当てか、それとも復讐か。雪山タイムリミットサスペンス第1弾!!

ひ16

東野圭吾
疾風ロンド　新装版
生物兵器が盗まれた。手がかりは、スキー場らしき場所で撮られた写真だけ。回収を命じられた研究員の運命は？　雪山タイムリミットサスペンス第2弾!!

ひ17

東野圭吾
雪煙チェイス　新装版
殺人容疑をかけられた大学生の竜実。アリバイ証人を探すため日本屈指のスキー場へ向かうが、追跡者が迫り――。雪山タイムリミットサスペンス第3弾!!

ひ18

南 英男
異常手口　捜査前線
猟奇殺人犯の正体は!?――警視庁町田署の女刑事・保科志帆は相棒になった元マル暴の有働力哉の強引な捜査に翻弄されて…。傑作警察ハードサスペンス。

み731

遊歩新夢
神様がくれた最後の7日間
人生が嫌になり、この世から消えようとする僕の前に現れたのは神様と名乗る少女。彼女は誰!?　絶望の果て――世界の終わりに、僕は君と一生分の恋をする！

ゆ33

実業之日本社文庫　好評既刊

沢里裕二
処女刑事　歌舞伎町淫脈

純情美人刑事が歌舞伎町の巨悪に挑む。カラダを張った囮捜査で大ピンチ!! 団鬼六賞作家が描くハードボイルド・エロスの決定版。

さ31

沢里裕二
処女刑事　六本木vs歌舞伎町

現場で快感!? 危険な媚薬を捜査すると、半グレ集団、芸能事務所、大手企業へと事件がつながり、大抗争に！　大人気警察官能小説第2弾！

さ32

沢里裕二
処女刑事　大阪バイブレーション

急増する外国人売春婦と、謎のペンライト。純情ミニパトガールが事件に巻き込まれる。性活安全課は真実を探り、巨悪に挑む。警察官能小説の大本命！

さ33

沢里裕二
処女刑事　横浜セクシーゾーン

カジノ法案成立により、利権の奪い合いが激しい横浜。性活安全課の真木洋子らは集団売春が行われるという花火大会へ。シリーズ最高のスリルと興奮！

さ34

沢里裕二
処女刑事　札幌ピンクアウト

カメラマン指原茉莉が攫われた。芸能プロ、婚活会社、半グレ集団、ラーメン屋の白人店員……事件はつながっていく。ダントツ人気の警察官能小説、札幌上陸！

さ36

沢里裕二
処女刑事　東京大開脚

新宿歌舞伎町でふたりの刑事が殉職した。その裏には、東京オリンピック目前の女子体操界を巻き込むスキャンダルが渦巻いていた。性安課総動員で事件を追う！

さ38

実業之日本社文庫　好評既刊

沢里裕二
処女刑事　性活安全課VS世界犯罪連合
札幌と東京に集まる犯罪者たち——。開会式を爆破!? 松重は爆発寸前!! 処女たちの飽くなき闘い。豪華キャストが夢の競演！ 真木洋子課長も再び危ない!?
さ3 10

沢里裕二
処女刑事　琉球リベンジャー
日本初の女性総理・中林美香の特命を帯び、真木洋子は沖縄へ飛ぶ。捜査を進めると、半グレ集団、大手広告代理店の影が。大人気シリーズ、堂々の再始動！
さ3 16

沢里裕二
処女刑事　京都クライマックス
祇園『桃園』の舞妓・夢吉は逃亡するも、寺へ連れ込まれ、坊主の手で…。この寺は新興宗教の総本山で、悪事に手を染めていた。大人気シリーズ第9弾！
さ3 18

沢里裕二
極道刑事　新宿アンダーワールド
新宿歌舞伎町のホストクラブから女がさらわれた。拉致したのは横浜舞闘会の総長・黒井健人と若頭。しかし、ふたりの本当の目的は…。渾身の超絶警察小説。
さ3 5

沢里裕二
極道刑事　東京ノワール
渋谷百軒店で関西極道の事務所が爆破された。カチコミをかけたのは関東舞闘会。奴らはただの極道ではなかった…。「処女刑事」著者の新シリーズ第二弾！
さ3 7

沢里裕二
極道刑事　ミッドナイトシャッフル
新宿歌舞伎町のソープランドが、カチコミをかけられた。襲撃したのは上野の組の者。裏には地面師たちのたくらみがあった!? 大人気シリーズ第3弾！
さ3 9

実業之日本社文庫　好評既刊

沢里裕二
極道刑事　キングメーカーの野望
政界と大手広告代理店が絡んだ汚職を暴くため、神野が闇処理に動くが……。風俗専門美人刑事は、体当たりの潜入捜査で真実を追う。人気シリーズ第4弾！
さ3 12

沢里裕二
極道刑事　地獄のロシアンルーレット
津軽海峡の真ん中で不審な動きをする黒い影。日本に特殊核爆破資材を持ち込もうとするロシア工作員と、それを阻止する関東舞闘会。人気沸騰の超警察小説！
さ3 17

沢里裕二
アケマン　警視庁LSP　明田真子
東京・晴海のマンション群で、演説中の女性都知事・桜川響子が襲撃された。LSP明田真子は身体を張って知事を護るが……。新時代セクシー&アクション！
さ3 13

沢里裕二
湘南桃色ハニー
ビールメーカーの飯島は、恋人を寝取られたことをきっかけに己の欲望に素直になり……。ビーチで絡み合う水着と身体が眩しい、真夏のエンタメ官能コメディ！
さ3 11

沢里裕二
桃色選挙
野球場でウグイス嬢をしていた春奈は、突然の依頼で市議会議員に立候補。セクシーさでは自信のある彼女はノーパンで選挙運動へ。果たして当選できるのか!?
さ3 14

沢里裕二
処女総理
中林美香、37歳。記者から転身した1回生議員。彼女のもとにトラブルが押し寄せる。警護するのはSP真木洋子。前代未聞のポリティカル・セクシー小説！
さ3 15

実業之日本社文庫 さ3 19

極道刑事　消えた情婦

2023年10月15日　初版第1刷発行

著者　沢里裕二

発行者　岩野裕一
発行所　株式会社実業之日本社
〒107-0062　東京都港区南青山6-6-22 emergence 2
電話［編集］03(6809)0473［販売］03(6809)0495
ホームページ　https://www.j-n.co.jp/
DTP　ラッシュ
印刷所　大日本印刷株式会社
製本所　大日本印刷株式会社

フォーマットデザイン　鈴木正道（Suzuki Design）

ISBN978-4-408-55833-2（第二文芸）